D0348301

Louise Deschâtelets

La chance était au rendez-vous

LES ÉDITIONS 7 JOURS
Une division de TRUSTAR Ltée
2020, rue University, bureau 2000
Montréal (Québec) H3A 2A5

Éditeur : Claude J. Charron
Directrice : Annie Tonneau
Mise en pages : Jean Yves Collette
Conception graphique de la couverture : Laurent Trudel
Coordination, maquillage et coiffure : Macha Colas
Vêtements : Louise Gauthier pour Zita Harper
Photos intérieures : collection personnelle
Révision : Camille Gagnon
Correction : Corinne de Vailly, Roger Magini

Dépôt légal : troisième trimestre 1995
Bibliothèque nationale du Québec
Bibliothèque nationale du Canada
ISBN 2-921221-53-5

Louise Deschâtelets

La chance était au rendez-vous

LES ÉDITIONS
7 JOURS

À mon mari, mon amour,
pour comprendre 23 ans de séparation.

« Celui qui se perd dans sa passion a moins perdu
que celui qui a perdu sa passion. »

Pensée de saint Augustin.

PROLOGUE

Québec, fin novembre 1968. Il neige doucement sur la ville. Le trajet qui sépare la capitale de Montréal me semble interminable. L'autoroute vingt, glacée comme tous les hivers, nous oblige à la plus extrême prudence. Il fait froid, mais moi je ne le sens pas. Je suis dans un état second, très très fébrile. Ce soir, je joue dans *Bilan,* de Marcel Dubé. Je remplace la jeune première, France Laverdière, qui a tenu le rôle d'« Élise », en septembre. Elle n'est plus disponible pour la tournée. C'est ma chance. Ce remplacement est d'une importance capitale. En échange de ce service, Albert Millaire, le metteur en scène, me réserve un des personnages principaux dans *Les Grands Soleils,* de Ferron, sa prochaine production au Théâtre du Nouveau-Monde. Premier grand rôle, premier gros trac. Je saisis à pleines mains ce bonheur qui m'échoit.

Au Capitole, les loges sont réparties sur trois niveaux ; toutefois, étant donné le peu de temps de répétition et l'état de nervosité dans lequel je suis, on m'en attribue une au rez-de-chaussée, près de la scène, d'accès plus facile, au cas où j'aurais besoin d'aide...

Le peu de temps imparti aux répétitions lors d'un remplacement, auquel s'ajoutent les contraintes budgétaires, rende impossible les essais techniques avant le jour « J ». Tout de suite après la générale, on requiert ma présence afin de procéder à des ajustements d'éclairage. Il fait sombre dans les coulisses, je me dirige d'un pas rapide vers la scène, en costume et perruque. Tandis que je suis sur les planches, tournant et retournant sous les faisceaux lumineux, j'entends les techniciens qui s'affairent tout autour. Pour eux également, c'est la première, il faut être prêt coûte que coûte pour le lever de rideau. Nous avons peu de temps pour nous préparer. Tous travaillent à l'instinct, sans réfléchir. Ils ouvrent une trappe pour aller chercher quelques *spots* à la cave. Les tests sur scène ne prennent que quelques minutes, tout va bien. Après l'éblouissement des lumières, mes yeux clignotent, ils doivent s'ajuster à l'obscurité qui règne en coulisses. Je regagne ma loge. Je n'y vois rien, je fixe donc un point lumineux devant moi et j'avance, heureuse et inconsciente du tournant que ma vie va prendre dans quelques mètres.

Brusquement, le monde semble vaciller autour de moi. Je suis aspirée vers le bas. Le trou ! La chute ! Six mètres plus bas, je demeure inerte, totalement inconsciente !

*****

Je me réveille à l'Hôtel-Dieu de Québec, après quatre jours de coma profond et quatre autres de semi-coma, dans un état lamentable, mais hors de danger. Le médecin me fait la nomenclature des dégats : l'omoplate, les douze côtes et le bassin du côté droit sont fracturés, ce qui a entraîné la perforation du poumon. N'eût été des atroces douleurs que je ressens, j'aurais pu croire qu'il me parlait de quelqu'un d'autre puisque je ne me souviens de rien.

Encore quelques jours à l'unité des soins intensifs, suivis de trois semaines à l'hôpital avant de regagner Montréal. Ensuite, une longue, très longue convalescence m'attend. Il faut que le poumon se referme et que les os se ressoudent. Ce genre de fracture rend impossible la pose d'un plâtre. En revanche, je dois porter, durant la journée, un corset qui m'enserre le corps du haut de la poitrine jusqu'au bas des hanches et mettre le bras droit en écharpe afin d'éviter tout mouvement. La nuit, libérée de ces entraves, c'est un martyr. Pour permettre aux os de se ressouder, je dois également m'astreindre à suivre une diète alimentaire sévère où les produits laitiers tiennent une place importante, calcium oblige. Un peu plus et c'est le retour au sein maternel. J'ai de la chance dans ma malchance : je ne fume pas, je suis en excellente santé, et je suis jeune. Il n'y aura pas de séquelles, sinon des rhumatismes à l'omoplate et au côté droit du thorax dans certaines situations et par temps de grande humidité.

Les gens du métier, que l'on dit parfois imbus d'eux-mêmes et peu compatissants aux malheurs des autres, se montrent solidaires. Je suis très gâtée, on organise même une collecte pour me soutenir. Toutefois, certains me disent que je vais avoir beaucoup de mal à retravailler. Les artistes sont des gens superstitieux. Avoir un accident, ce n'est pas très bien vu.

— On va croire que tu portes malheur ! me disent certains.

Je les écoute d'une oreille distraite, même si ce discours me dérange un peu. Je débute à peine et voilà qu'on me parle de malchance, de guigne, d'un avenir sans espoir. J'ai peur de traîner cette crainte comme un boulet, toute ma vie. Même si je ne m'arrête pas vraiment à ces paroles défaitistes, une certaine appréhension m'envahit. N'étant pas une personne négative ni du genre à me laisser abattre, j'essaierai par la suite d'éviter de parler de l'accident de façon à conjurer le sort.

Pourquoi la vie met-elle ainsi un temps d'arrêt à une carrière à peine amorcée ? Ai-je déjà besoin qu'on freine ma fébrilité et mon impatience de réussir ? L'orgueil en prend un coup. Mon profond désir d'indépendance aussi. Je ne peux rien faire sans l'aide de ma mère. Le geste quotidien le plus banal, comme se lever de son lit le matin, prend une importance capitale puisque la douleur qu'il entraîne me fait monter les larmes aux yeux. Le moindre faux pli dans le drap est une torture. J'apprends à descendre les escaliers à reculons pour minimiser les chocs qui se répercutent dans toute la colonne vertébrale.

Voilà déjà presque un an que je suis inactive. Je viens de recevoir une petite somme d'argent à la suite de ma mésaventure. Mon meilleur ami me conseille d'aller passer quelques jours à la Guadeloupe, dans la région de Sainte-Anne. Lui-même y a séjourné, et il a adoré cet endroit aux odeurs et aux couleurs exotiques. Pourquoi pas ? Mis à part un voyage à New York et un séjour à Old Orchard, je n'ai presque jamais quitté Montréal. Pour moi, c'est l'aventure, surtout que je pars seule. J'ai vingt-quatre ans.

J'habite encore chez ma mère, malgré mon âge. Elle est très inquiète de me voir quitter la maison pour aller si loin. Une fille seule... le méchant loup... Et puis, le fait de me voir dépenser autant d'argent pour une unique semaine de vacances la déboussole. Nous ne sommes pas riches et ce n'est pas le genre de folies que nous sommes habituées de faire.

Mais tant pis, advienne que pourra ! Je pars pour la Guadeloupe. Une île de rêve, un petit paradis à mes yeux de jeune femme. Me voici dans un hôtel fabuleux, « La Caravelle ». Quel gaspillage pour une chambre d'hôtel qui ne sert, somme toute, que pour dormir. Est-ce un désir de paraître, d'en mettre plein la vue aux autres et peut-être à moi-même ? Pas vraiment ! Pour ma propre sécurité, j'aurais dû économiser cet argent. Peut-être est-ce là le premier signe de ce besoin viscéral de me mettre en état de déséquilibre quand le parcours est trop calme ? Mon côté cigale, sûrement.

Une réservation mal faite par la compagnie aérienne m'oblige à passer les deux premières nuits dans un hôtel de la capitale, Pointe-à-Pitre.

Je me sens seule. Je ne connais absolument personne. Je passe ces deux premiers jours allongée sur le balcon de mon hôtel puisqu'il n'y a pas de plage à proximité. Résultat de ce bain de soleil intense pris à l'ombre de la rambarde, un bras droit zébré de rouge et la figure deux tons. Belle allure pour entrer au chic « Caravelle » le jour suivant.

La plage de sable blanc est magnifique. Toujours seule, je n'ose parler à personne, j'observe les autres vacanciers. Au restaurant, même scénario. Je mange dans mon coin. Voilà déjà quatre jours que je suis à la Guadeloupe. Des vacances dont je ne profite pas comme je le devrais. Pourtant, je ne suis pas timide, simplement un peu perdue !

Finalement, pour rompre la monotonie et tenter de lier conversations, je me décide à aller au cocktail donné à l'hôtel pour favoriser les contacts entre les nouveaux résidents. J'y rencontre un couple québécois. Enfin, un peu de compagnie ! Ils me proposent d'aller au casino, cela m'intrigue, je n'ai jamais mis les pieds dans ce genre d'endroit. Je les suis. On s'amuse.

Mon regard se pose sur une table de *black-jack,* je regarde les joueurs, impressionnée. L'un d'eux se retourne :

— Voulez-vous jouer ? me demande-t-il.

— Je ne sais pas !

— Je vais vous apprendre.

Mon portefeuille est plutôt mince, tout juste si je peux me permettre de miser les vingt-cinq dollars que j'ai en poche. Finalement, je perds tout, y compris les quelques jetons que mon professeur a eu la délicatesse de glisser sous ma main. Peut-être pour faire durer le plaisir... qui sait ?

— Allons danser dans une discothèque, proposent mon professeur et celui qui l'accompagne. Le couple québécois accepte également. Mais au bout de quelques minutes, celui-ci change d'idée. Je me retrouve seule avec les deux compères.

Une fois dans la voiture, je commence à réaliser ce qui se passe. Je suis en route pour je ne sais où, avec deux hommes dont j'ignore tout. L'inconscience et la naïveté peuvent nous conduire à faire des choses complètement folles. Une seule et unique pensée occupe tout mon esprit alors que nous nous dirigeons vers la discothèque : « Dans quoi me suis-je embarquée ? »

La fin de la soirée se passe plutôt agréablement, malgré le fait que mon « professeur » semble s'amuser à me mettre en boîte. Il contredit tout ce que je dis. Finalement, on passe la soirée à s'obstiner. Pourtant, il m'impressionne énormément, il est élancé, très beau, basané. Ce sont ses origines portugaises qui ressortent, je l'apprendrai plus tard. Il s'appelle Jean-Michel de Cazanove.

Il est déjà deux heures du matin lorsque les deux hommes me raccompagnent à mon hôtel. Et là encore, mon « professeur » me cherche noise :

— Que faites-vous dans un hôtel comme ça ? Il faut vivre à Pointe-à-Pitre, c'est là-bas que la vie se passe, que vous allez rencontrer des Guadeloupéens, connaître des gens intéressants. Ce n'est pas en vivant avec des touristes qu'on prend le pouls d'un pays !

Lui, il est là pour son travail et ce n'est pas le genre d'homme à passer ses vacances sur une plage. Cela ne l'attire pas.

— Chez nous, le soleil est plutôt rare, alors c'est ce que je viens chercher ici ! dis-je, du tac au tac.

— Pourrais-je manger avec vous demain soir ? me demande-t-il au pied de l'escalier.

L'invitation me surprend, mais j'accepte.

— Où voulez-vous aller ?

Et moi, innocente, je réponds un peu bêtement :

— Vous savez, ici tous mes repas du soir sont payés !

Il me regarde alors en souriant, presque ironique :

— Très bien, je viendrai manger avec vous ici !

Dans ma petite tête, je me dis : « C'est bien, je lui ai dit que mon repas était payé. Il n'aura pas à payer pour moi, ça ne m'engage donc à rien ! »

Le temps de faire ma toilette et de m'allonger pour dormir, le téléphone sonne : c'est lui. Pendant l'heure qui suit, je suis l'objet d'un interrogatoire en règle sur qui je suis, d'où je viens, ce que je fais dans la vie. Une conversation, en apparence sans conséquence, mais qui fait le tour de mon passé et de mon présent en s'attardant aux raisons qui peuvent motiver une fille seule à prendre des vacances aux Antilles. C'est bien connu, les filles du Nord y viennent pour des raisons bien précises. Eh bien, pas moi !

Le lendemain, 19 heures, nous nous retrouvons au restaurant de « La Caravelle ». C'est là que j'apprends qu'il vient d'emménager à l'hôtel. Nous passons donc ensemble les quatre jours de vacances qu'il me reste. Je suis sur un nuage duquel je n'ai pas envie de redescendre. À l'aéroport du Rézé, je supporte la longue attente de l'embarquement sans même souffrir de la chaleur ambiante. Le seul souvenir que je garde de ce moment fatal de séparation, c'est la vue de la regrettée Lisette Gervais, que j'admire comme journaliste à la télé, tentant de calmer ses deux jeunes enfants qui courent partout dans l'aéroport. Je me vois à sa place, un de ces jours... Mais comment expliquer cela à ma mère au retour ? À cette époque, on ne parle pas de sa vie amoureuse à ses parents, et surtout pas quand celle-ci s'amorce hors des principes de la religion catholique.

Une semaine plus tard, à sept heures du matin, ma mère reçoit un appel téléphonique outremer. Un homme qui sollicite une rencontre. Ma mère lui raccroche deux fois au nez.

La troisième fois, elle me dit :

— Il y a un fou qui parle à la française, avec un drôle d'accent. J'ai l'impression qu'il me parle de toi. Il veut venir ici te voir, nous voir. Réponds donc !

Elle ne comprend pas ce qu'il dit à cause de son accent, de l'étrangeté de la demande et de la friture sur la ligne. De mon côté, je suis assez bouleversée. Je l'espérais sérieux quand il m'avait dit qu'il allait demander ma main à ma mère, je l'espérais, mais j'étais loin d'en être sûre.

Le conte de fées se poursuit. Je me pince pour m'en assurer.

Il débarque à Montréal deux semaines plus tard. On se fiance au restaurant « Le Vaisseau d'or », propriété du maire Jean Drapeau. Toute à mon bonheur, je n'entends pas sa mise en garde. Il me prévient que cela va être très long et très dur avant que nous puissions nous marier, il a des choses très importantes à régler dans sa vie. Comme il vient tout juste de m'apprendre qu'il est de descendance noble, j'en déduis qu'il lui faut du temps pour me faire accepter de sa famille. Sa mère est contre notre mariage. Il m'avertit qu'il faudra quelques années avant que cela ne se fasse. Être l'élue du comte Jean-Michel de Bigault de Cazanove, descendant de Henri IV et de saint Louis, ne vaut-il pas la peine d'attendre ?

Naïve, je ne pose aucune question sur les autres raisons qui peuvent motiver ce long délai.

— Ça vous donnera le temps de recommencer votre carrière, de vous faire un nom, de vous perfectionner en tout, puis nous serons ensemble un jour ! me dit-il.

Et alors commence une correspondance suivie avec le « prince », comme le surnomment les quelques amis qui ont fait sa connaissance. Un prince qui vouvoie tout le monde y compris sa fiancée. Nous ne glisserons vers le tutoiement que bien des années plus tard.

La vie reprend son cours. Je décroche au Théâtre d'Aujourd'hui un rôle qui semble être une ironie du sort. Après ma convalescence, je ne pèse qu'environ quatre-vingt-dix livres et je joue une mère obèse. Je dois donc être rembourrée et revêtir un costume spécial dans *La Baye* de Philippe Adrien. On m'offre aussi le rôle de « Bilou 5 foins » dans la *Souris Verte,* rôle pour lequel j'avais auditionné avant l'accident... La comédienne qui l'avait initialement obtenu ne veut plus le tenir après un an. Le deuxième choix que je représentais se retrouve donc avec le rôle.

Ma carrière prend son élan. Je fais carrément mentir la superstition qu'on disait rattachée au type d'accident de parcours que j'ai connu. Plus étrange encore, tout ce qui n'a pas marché avant l'accident, fonctionne désormais. Le destin est vraiment bizarre quand il s'y met. Je vis exactement l'inverse de ce que l'on me prédisait. J'entre dans un tourbillon de travail qui ne s'arrêtera plus.

Après six mois de correspondance suivie, les espoirs d'union avec mon prince, loin de se concrétiser, semblent s'amenuiser. Impatience de la jeunesse... ou sagesse inconsciente... je décide de rompre !

Je prends une boîte et j'y glisse tous les bijoux qu'il m'a offerts lors de son passage à Montréal. Je les lui renvoie par la poste. Je lui écris également que je ne pense pas que nous sommes faits pour vivre ensemble. Notre histoire se termine là !

Avril 1969. Après l'accident, la vie reprend son cours.
Je ne pèse qu'environ 90 livres.

Je joue une mère obèse dans *La Baye* de Philippe Adrien.
Je dois donc être rembourrée et revêtir un costume spécial.

À part un séjour à Old Orchard, je n'ai presque jamais quitté Montréal avant mes 24 ans. Mon oncle Gaston et moi posons fièrement à l'entrée de la pension, à Old Orchard.

La plage d'Old Orchard, un bain de soleil et une promenade en compagnie de ma tante Madeleine.

Jean-Michel de Cazanove l'année de notre rencontre en Guadeloupe.

Chapitre 1

L'HÉRITAGE

Hôpital de la Miséricorde, le 28 octobre 1945, à 18 h 45. Pesant sept livres et treize onces et demie, je vois le jour. Entre Juliette et Maurice, brève discussion.

— On l'appelle comment ?

— Que dirais-tu de Céline ? suggère ma mère.

La réponse de mon père fuse :

— Jamais de la vie !

— Alors... Louise ?

Le oui spontané de mon père vient d'identifier le second enfant issu de son mariage célébré à la cathédrale de Montréal moins de deux ans auparavant. Rémi, l'aîné, meurt peu de temps après sa naissance. J'hérite pour ma part d'une santé à toute épreuve. Durant les sept premières années de ma scolarité, je suis absente trois jours pour cause de rubéole. Je contamine toute la rue Chabot, mais je ne garde le lit que 24 heures. Aucune autre maladie infantile n'a de prise sur moi. Des dents solides qui fascinent mon dentiste encore aujourd'hui, une énergie qui semble inépuisable.

******

Ce que je suis, je le dois avant tout à ma mère. Des principes de vie basés sur l'effort, le dépassement et la charité, voilà, entre autres, l'héritage qu'elle m'a laissé.

Dès ma plus tendre enfance, elle n'a d'autres ambitions que de me mettre en main les atouts pour réussir. Je vois le jour dans un milieu modeste. Nous habitons le quartier Rosemont à Montréal. Mes parents y possèdent un petit commerce qu'on appelle un restaurant à l'époque, aujourd'hui un dépanneur. On habite le minuscule trois pièces situé à l'arrière. L'accès direct du logement au commerce permet à ma mère de vaquer aux tâches ménagères, d'avoir un œil sur ses enfants et de servir la clientèle sans avoir à sortir de chez elle. Elle y sera confinée trois cent soixante-cinq jours par année, de 7 h du matin à 11 h du soir, pendant 20 ans. Une sainte...

Déjà à mes yeux d'enfant, Juliette, ma mère, est un être exceptionnel. Elle le restera toute sa vie. Je ne dis pas cela parce que c'est la mienne, tout son entourage peut le confirmer. C'est une maîtresse femme, autonome et volontaire sous des dehors délicats et raffinés. Elle a de hautes ambitions pour ses deux enfants et ne néglige rien pour nous offrir le meilleur, au prix de grands sacrifices, même celui de ne pas refaire sa vie après la mort prématurée de son mari.

Mon père, Maurice, est un homme nerveux, un peu brusque, certainement anxieux, plus intéressé par une vie sociale que par une vie familiale. Nous le voyons peu. Vendeur de voitures pour son frère, amateur de courses de chevaux, où il perd souvent sa chemise, cet homme, marié sur le tard, n'est sans doute pas fait pour avoir des enfants. Souvent bourru, il sait cependant être drôle en société. Généreux pour lui-même, il aime les beaux vêtements et les voitures ; il l'est aussi pour la petite fille que je suis et pour son entourage. Heureusement, ma mère veille au grain et sait refréner ses élans au besoin. Elle est et restera le centre de cette petite cellule familiale qu'est la nôtre. Silence et discrétion sur les hauts et les bas d'une vie difficile. Je n'apprendrai qu'à l'âge adulte les raisons de la haine que mon père vouait au maire Jean Drapeau. C'est grâce au grand nettoyage que ce dernier effectue dans la vie clandestine de Montréal, dans les années cinquante, que mon père passe quelques jours en prison pour s'être fait prendre à négocier des paris clandestins sur les courses de chevaux. C'est donc ça le secret qui entoure les arrêts qu'on fait en route vers Longue-Pointe pour aller chez ma grand-mère. Les « gros yeux » de ma mère quand je lui apprends avoir siroté un Coca-Cola sur le trottoir devant la taverne, angle Viau et Notre-Dame devant la Vickers, pendant que papa buvait une bière à l'intérieur.

Cette aura de mystère qui entoure sa vie, mon père l'emportera dans sa tombe. Je ne saurai rien de plus, si ce n'est que le salon mortuaire est tapissé de fleurs à son décès, comme pour les grands personnages ou les chefs de la mafia. Je trouve séduisante l'idée d'avoir un héros comme père. Quelle que soit sa façon d'y parvenir !

Mes parents forment-ils un couple heureux ? Je le crois. Mais comme à cette époque les signes extérieurs d'affection ne sont pas monnaie courante, seule l'harmonie qui règne à la maison me le laisse croire.

Une seule fois, je surprends mon père à embrasser ma mère. C'est le jour où il prend le chemin de l'hôpital pour ne plus en revenir. Quelque dix jours plus tard, il décède d'une crise cardiaque, à 56 ans. J'ai neuf ans, une grosse peine générée surtout par un profond sentiment d'abandon. C'est le premier, pas le dernier, et je ne m'y habituerai jamais. C'est la première fois que je perds quelque chose d'important. Je perds mon père avant même de le connaître. Les maigres souvenirs qui m'en restent m'interrogent souvent sur ce qu'aurait été ma vie avec lui ! Un père absent, normal pour l'époque, qui mange rituellement son steak au beurre avec une pomme de terre bouillie, le tout accompagné d'un thé avant de s'enfermer dans le restaurant. Le crochet mis sur la porte qui sépare les deux parties de notre univers l'isole avec les clients jusqu'à la fin de la soirée. À vingt-deux heures dix-huit bien précises, il balaie le plancher et verrouille l'entrée au public. Car « à vingt-deux heures vingt, dit-il, j'embrasse ma femme ». Blague ou vérité, je ne le saurai jamais. J'ai hérité de lui la rigueur et l'exactitude ; j'espère avoir échappé à sa froideur apparente.

Fille sans père, je suis et je resterai. Comment parler de ce qu'on ne connaît pas ? Je ne crois pas avoir souffert de cette absence mais il me reste une attirance pour les hommes plus âgés que moi dès mes premiers élans amoureux. Signe évident, d'après les spécialistes, d'un œdipe mal résolu.

Deuxième d'une famille de seize enfants, c'est à quatorze ans que ma mère prend le chemin de l'usine pour aider ses parents. Beau temps mauvais temps, été comme hiver, elle traverse la ville d'est en ouest, en tramway, pour se rendre à ville Mont-Royal rouler des cigares dans une usine de tabac située à l'intersection des rues Rockland et Jean-Talon. Elle, qui ne fume pas, mourra d'un cancer du poumon. Bizarre coïncidence...

Un mariage tardif pour l'époque, 36 ans, pourrait faire d'elle une femme sans enfant. Mais cela est contraire aux principes dictés par l'Église. Elle est croyante et pratiquante, elle a donc les trois enfants que « Dieu lui envoie ». A-t-elle souffert de la mort prématurée du premier ? Sûrement, mais elle n'en parle pas. Les deux autres, mon frère Michel et moi, occupent tout son temps.

Veuve après seulement dix ans de mariage, elle le reste jusqu'à sa mort vingt ans plus tard. La disparition de son mari et du père de ses enfants, ma mère l'assume avec une telle grandeur d'âme que jamais nous n'en ressentons les contrecoups. L'insouciance de l'enfance fait le reste.

— Tu vois, moi j'ai travaillé jusqu'à mon mariage. Après, je n'ai jamais pu me reposer sur un homme parce que ton père n'a pas été là longtemps. C'est donc important pour une femme d'être capable de se débrouiller dans la vie.

Rétrospectivement, je peux dire que ma mère est une féministe avant la lettre, tout au moins en esprit, car elle n'est pas d'un tempérament revendicateur. Elle m'enseigne néanmoins l'autonomie et l'égalité. Je n'ai jamais à me battre pour jouir de mon indépendance, pour elle, cela va de soi. Elle a l'intelligence de me laisser prendre ma place.

Oui, elle rêve du prince charmant pour sa fille, mais elle me donne les moyens de m'en passer au cas où la vie m'en priverait. Quel beau cadeau elle me fait !

Je grandis entourée des « femmes Bouchard », les sœurs de ma mère. Tante Cécile qui me permet de passer les plus merveilleuses vacances pendant une dizaine d'années à l'île Charron. Tante Irène qui m'accompagne dans les sorties spectacles organisées par l'école de diction où je suis des cours. Tante Madeleine qui vit chez ma grand-mère et me donne accès aux merveilles du « pomponnage ». Dimanche après dimanche, je m'enferme dans sa chambre au premier étage d'une vieille maison de bois de Longue-Pointe pour essayer ses talons hauts et me vernir les ongles en rêvant du jour où je pourrai me payer toutes ces merveilles. La dernière, mais non la moindre, tante Josée qui vit en face de chez nous rue Chabot et nous inonde de bons petits plats et surtout de gâteaux-éponges glacés à l'érable dont elle a le secret. Femme imposante physiquement, énergique et brusque dans ses propos, elle ne laisse personne indifférent, surtout pas moi qu'elle accuse si souvent de « faire mourir ta mère ». Je la revois encore, traversant la rue avec son chaudron de soupe aux pois fumant. Ce qui permet à Juliette de prendre un congé-cuisine ce jour-là.

En somme, la représentation d'une typique famille québécoise. On s'occupe beaucoup les uns des autres, on se dispute souvent, mais on s'aime sans condition. La générosité leur sort par tous les pores de la peau. J'en bénéficie beaucoup, je leur en rends trop peu !

La « duchesse d'Alençon », c'est ainsi qu'on surnomme ma mère dans son entourage, passe dans la vie comme un elfe. Elle sait tirer profit de tout, même du peu qu'elle possède. C'est une des rares personnes que je connaisse à avoir pu porter le même tailleur pendant quinze ans avec la même élégance et à en tirer fierté ! Je profite beaucoup de son exemple, sauf en matière d'économie !

Curieuse de tout, elle ne demande jamais rien et sait se contenter de peu. Parfaite ? Non, car nos « têtes de cochon » mutuelles s'affrontent à l'occasion. Mais sa nature fondamentalement heureuse en fait un être toujours agréable à côtoyer.

Sans chalet, sans maison de campagne, avec la seule rue Chabot en partage, les étés de mon enfance auraient pu se passer dans les relents de chocolat de l'usine Cadbury les jours de grande humidité. Mais tante Cécile, devenue veuve du « gros Maurice » presque en même temps que ma mère du « petit Maurice », m'accueille à son camp de l'île Charron toutes les fins de semaine que le bon Dieu amène de la fin juin à la fin août. Malgré un confort rudimentaire, c'est un petit paradis à mes yeux. Et puis, j'y retrouve son fils Jean, mon aîné de quelques années, que j'admire tant. Il m'emmène en chaloupe sur le fleuve où nous nous faisons des confidences en nous gardant bien de parler trop fort. L'eau transporte les sons beaucoup plus loin qu'on ne le pense... Le Saint-Laurent, je le fréquente depuis ma plus tendre enfance, l'été en chaloupe, l'hiver à pied. Quel spectacle que celui des transatlantiques qui, à cette époque, remontent et descendent le fleuve remplis de voyageurs qui parcourent le monde ! La vie en palace flottant, nous en rêvons les deux pieds dans l'eau. Cousins et cousines, solidement agrippés les uns aux autres quand le tirant d'un navire emporte la flotte sur plusieurs mètres et nous aspire le sable sous les pieds en nous les enfonçant, jusqu'aux chevilles.

C'est sur la grande galerie à l'île Charron que j'apprends à danser. Elvis Presley s'époumone sur le vieux gramophone qu'on remonte à la main. Il n'y a pas d'électricité. Trop jeune pour veiller tard dans la noirceur, je rentre terminer la soirée dans le camp avec tante Cécile devant un bol de *chips* et un Coca-Cola en écoutant les moustiques s'écraser sur la porte, attirés qu'ils sont par la lumière crue du fanal au naphta. On se lave à l'eau froide de la pompe, pour moi c'est tellement exotique. Je ne connais pas le confort des chalets des Laurentides, mais je crois que je n'y serais pas plus heureuse qu'à l'île Charron.

L'autre pôle de ma jeunesse, c'est la maison de ma grand-mère. Elle est située sur la rue où passe désormais le tunnel Hippolyte-Lafontaine. Le grand changement de ma vie survient le jour où la maison de ma grand-mère est expropriée. Mon petit monde s'écroule sous les marteaux piqueurs. Je me demande même si ce n'est pas ce grand chambardement qui hâte sa fin, la pauvre. Déracinée, elle ne retrouve pas l'ambiance de sa rue dans son nouveau quartier.

Ma grand-mère demeure en face de la résidence de retraite des sœurs qui œuvrent à l'hôpital Saint-Jean-de-Dieu. L'asile, comme on dit à l'époque, sans que ce soit un terme péjoratif ou malveillant. Au contraire, nous sommes tellement habitués à ces gens, ils font partie de notre environnement. La mentalité de cette époque est moins ouverte, dit-on ; est-ce si sûr ? Longue-Pointe, c'est comme un village, tout un chacun connaît son voisin, les « fous » comme les autres. Tout le monde se parle.

J'ai toujours côtoyé la mort de près. Peut-être est-ce cela qui me fait tant aimer la vie, tant en profiter et surtout tant apprécier les gens que je croise et les bonheurs que je vis. Après mon père, ma mère s'éteint à l'aube de ses 65 ans. Elle meurt comme elle a vécu, dans l'ordre et la dignité.

Le diagnostic des médecins tombe comme un couperet, du jour au lendemain : un cancer du poumon, inopérable. On ne lui donne qu'entre deux mois et deux ans de vie. Je décide de la prendre chez moi et de m'en occuper.

Pour une femme autonome, active, travaillant encore de nuit à la cafétéria de l'hôpital Saint-Luc, se sentir ainsi diminuée n'est pas très facile à accepter. Malheureusement, nous ne parlons pas de tout ça, ma mère et moi... et c'est bien dommage !

Je n'ai pas le courage de transgresser cette consigne du silence qui entoure « sa maladie ». Par la suite, je regretterai longtemps de n'avoir pas pu ou pas su aborder ce sujet avec elle. Elle s'éteint huit mois plus tard.

Ma mère et moi sommes malgré tout si proches l'une de l'autre. Le jour de son décès, elle m'attend jusqu'au dernier moment. Je le sais, je le sens !

Une grève du système hospitalier sévit. Elle est au plus mal, nous tentons de la faire admettre à l'hôpital à plusieurs reprises, mais il est impossible qu'elle y demeure, le manque de personnel est vraiment criant. Chaque fois, on la renvoie chez moi.

Cette semaine-là, je dois me rendre à Toronto pour des messages publicitaires, je suis inquiète. Mon compagnon de l'époque, en consentant que ma mère vienne habiter avec nous, accepte aussi de s'en occuper en mon absence. Ce qu'il fait d'ailleurs avec une générosité admirable. Le jour même de mon retour, elle me demande d'appeler la police, elle ne parvient plus à respirer. Elle a donc attendu que je sois à ses côtés pour demander de l'aide. Grâce aux policiers à qui je fais appel, je parviens finalement à la faire admettre à l'hôpital. Quatre jours après son hospitalisation, je perçois une seconde fois cet indicible sentiment d'un appel à l'aide. C'est dimanche, je « brunche » dans le jardin chez des amis qui me font découvrir les saveurs du foie gras et du Chablis. Je me lève brusquement en déclarant : « Je vais aller voir ma mère ! » Je me dépêche de rejoindre l'hôpital. J'arrive à temps pour lui prendre la main. Un battement de cils, un soupir discret, elle s'en va doucement comme elle a toujours vécu. Je crois qu'elle m'attendait.

Les années passent. La mort frappe une troisième fois. En 1991, mon frère Michel est emporté par un infarctus. Il a 41 ans... il ne reste que moi.

Une enfance tout ce qu'il y a de plus simple et ordinaire. Une vie d'écolière marquée par le sceau de la réussite, donc sans grand intérêt dans une biographie. J'aime l'école et celle-ci me le rend bien. Les moments exceptionnels, je les dois à sœur Wilfrid-Joseph, sœur du Saint-Nom-de-Jésus-et-de-Marie qui m'enseigne les arts culinaires et ménagers à l'école Madeleine-de-Verchères. Je garde en mémoire ces merveilleux après-midi passés à confectionner tire Sainte-Catherine et œufs de Pâques, sur le marbre de son immense cuisine, salle d'enseignement. Elle a en plus l'insigne honneur d'être la sacristine attitrée de l'église Saint-Jean-Berchmans et certaines de ses élèves ont la chance de l'assister dans cette tâche délicate et prestigieuse. J'en suis pendant quelques années. Comme quoi les bonheurs des enfants d'autrefois ne sont en rien comparables à ceux des enfants d'aujourd'hui. On est bien loin de l'ordinateur et des *roller blades.*

Grâce à sœur Wilfrid-Joseph, j'apprends le respect des choses sacrées. Je me frotte au décorum de l'église par de petites tâches domestiques comme remplir les burettes et placer les vêtements sacerdotaux dans l'ordre pour la célébration de la messe. Le « spectacle » de la liturgie me donne l'impression d'une ouverture sur un monde *a priori* inaccessible pour une petite fille de Rosemont.

Un monde de mystère et de beauté où chaque geste est posé en tenant compte du fait qu'on touche « presque à Dieu ». Tout y est délicat et raffiné. Mais la simplicité avec laquelle sœur Wilfrid-Joseph m'y initie me fait aimer « les choses de l'Église ». Pendant la période du Carême, je gagne le championnat d'assistance à la messe. Mais l'œil de Dieu surveille cette bouffée d'orgueil qui m'envahit et le vendredi saint de ma septième année scolaire, je rentre chez moi la main gauche enfouie au fond de la poche de mon manteau de laine marron pour cacher mon auriculaire qui saigne. Je me suis fracassé le petit doigt qui traînait sur le cadre de la porte en refermant la voûte où l'on range vin de messe, hosties non consacrées, ciboires et calices. Je n'ose regarder l'ampleur des dégâts tant la douleur est forte et la honte encore plus. Je me suis permis de croquer quelques hosties en les rangeant. Mais Dieu veille...

Je vois le jour dans un milieu modeste. Nous habitons le quartier Rosemont à Montréal. Mes parents possèdent un petit commerce qu'on appelle un restaurant à l'époque. On habite le minuscule trois-pièces situé à l'arrière. Ici, Maurice, mon père, derrière le comptoir, et moi confortablement installée devant la porte.

Mon frère Michel et moi, par un dur hiver, devant le restaurant familial de la rue Chabot (en haut). Toute la famille est réunie pour
Noël dans le salon de notre modeste trois-pièces. Ma mère, mon
père, mon frère Michel et moi.

Juliette, ma mère, est un être exceptionnel. Elle le restera toute sa vie. Mon père, Maurice, est un homme nerveux, un peu brusque, certainement anxieux. Le jour de leur mariage, mes parents sont en compagnie de leurs témoins, Paul Deschâtelets et Maurice Sanscartier dit « Le gros Maurice ». Mes parents forment-ils un couple heureux ? Je le crois.

Tante Madeleine me donne accès aux merveilles du « pomponnage ». Dimanche après dimanche, je m'enferme dans sa chambre pour essayer ses talons hauts et me vernir les ongles en rêvant du jour où je pourrai me payer toutes ces merveilles.

Ma mère a de hautes ambitions pour ses deux enfants et ne néglige rien pour nous offrir le meilleur, même au prix de grands sacrifices.

Tante Cécile m'accueille à son camp de l'île Charron toutes les fins de semaine que le bon Dieu amène, de la fin juin à la fin août.

Tante Irène, le jour de l'obtention de son diplôme d'infirmière.
C'est elle qui m'accompagne dans
les sorties spectacles organisées
par l'école de diction où je suis
des cours.

L'autre pôle de ma jeunesse,
c'est la maison de mes grands-
parents. Anna et Joseph Bouchard,
rue de Boucherville ; derrière
eux, le fameux gramophone au
son duquel j'apprends à danser.

Les bras protecteurs de l'oncle
Henri, le plus jeune frère de
ma mère, me soutiennent sur le
balcon de la maison de mes
grands-parents, rue de Boucherville.

Les moments exceptionnels de mes années d'écolière à l'école
Madeleine-de-Verchères. Voici la classe de 4ᵉ année.

Classe de Madame Boucher, école Madeleine-de-Verchères, 3ᵉ année.
Elle me terrorisait !

Une enfance tout ce qu'il y a de plus simple et ordinaire. Une vie d'écolière marquée par le sceau de la réussite. J'aime l'école et celle-ci me le rend bien. Classe de sœur Jeanne-Élise, école Madeleine-de-Verchères.

Festival de chapeaux !
Ma mère et ses belles-sœurs
Hélène, Béatrice
et Rose-Hélène.

Comme toujours, sage comme une image. Et encore plus en jeune communiante.

Toute la famille s'est réunie autour de moi
et des animateurs, Aline Desjardins et Gaston L'Heureux,
pour mon « Avis de Recherche » diffusé en 1985-1986.

Chapitre 2

EN ÉTANT UN NOM,
ON DEVIENT QUELQU'UN

Est-ce en raison de ma formation de comédienne, ou par affinités personnelles, toujours est-il que mon insertion dans le milieu se fait par le biais du théâtre. Je suis formée pour un médium qui s'appelle la scène ! Théâtre, télévision et cinéma font partie d'un même métier et, pourtant, les différences entre eux sont majeures. On ne s'exprime pas de la même manière sur une scène de théâtre que sur un plateau de tournage.

Au théâtre, il s'agit d'un travail d'orfèvre, fait dans le détail, lentement. À la télévision, le fignolage n'occupe pas une place aussi grande, on ne peut pas toujours faire dans la fine dentelle, la contrainte financière ne le permet pas. Il faut apprendre à donner le maximum dans le minimum de temps. C'est un défi qui m'a toujours stimulée.

Pénétrer dans la cuisine des gens par l'intermédiaire de personnages dans lesquels ils se reconnaissent parfois, et qui, d'autres fois, les font rêver, j'aime ça. Dans un premier temps, je me dirige vers le médium qui m'accepte le plus facilement et dans lequel je suis le plus à l'aise : la scène. Il n'en demeure pas moins que c'est elle, la télévision, qui nous ouvre la porte de la reconnaissance publique. Je dois donc attendre.

Après un arrêt d'un an, accident oblige, le retour sur scène avec *La Baye,* de Philippe Adrien, est très motivant. J'y trouve un rôle de pure composition. J'interprète une femme qui n'a pas mon âge et d'un physique que je suis loin d'avoir ! Je pèse alors quarante kilos, le personnage en transporte quatre-vingt dix. Est-ce que tout cela concourt à me procurer un plaisir évident de rejouer ? Sûrement ! Je me souviens de cette production comme d'une énorme partie de plaisir à la fois humain et professionnel. Sans oublier le fait d'avoir eu la chance de pénétrer dans le cénacle de ceux qui font évoluer la pratique théâtrale et dont je ne fais pas partie spontanément. Jouer au Théâtre d'Aujourd'hui, c'est faire partie de cette relève qui bouscule les lois établies. C'est vouloir s'identifier comme étant différent de ses aînés. Donc, original.

Imaginez deux familles sur scène. Les protagonistes sont assis en rang d'oignons face à la salle qui symbolise la mer. La pièce met en relation et en opposition ces deux familles fort différentes où les couples et les enfants de ces couples se parlent, se séduisent, s'entre-déchirent autour d'un bol de soupe et d'une assiette de poulet. La vraie vie, quoi ! Pour un retour sur scène, je ne pouvais rêver plus beau rôle et plus « exotique » lieu théâtral que le Théâtre d'Aujourd'hui où, à l'époque, pour des cachets minimes, on joue dans une salle de cent places devant un public d'initiés. Le théâtre expérimental et de création est loin d'en être un qui attire spontanément les foules. Ça arrive parfois, mais ce n'est pas la règle. Quel bonheur pourtant de faire œuvre de pionnière ! Être là au départ de quelque chose dont l'issue est totalement imprévisible. Le Théâtre d'Aujourd'hui me permettra de renouveler l'expérience à trois autres reprises. Dans *À qui le p'tit cœur après 9 h 1/2* et *Du poil aux pattes comme les CWACS*, de Maryse Pelletier, ainsi que dans *Les Baleines,* de Jean-Raymond Marcoux.

La vie me permet de remonter sur scène après avoir frôlé la mort. Je perds de vue la notion d'« image » qui revêt une si grande importance en cette fin de XXᵉ siècle. Jouer un personnage plus âgé n'est pas toujours un défi que l'on ose relever. Je le refuserai même quelque vingt ans plus tard... peut-être à tort.

La peur de vieillir rebute, celle de se vieillir prématurément encore plus. Se sentir cataloguée, comme il nous arrive souvent de l'être dans ce métier, nous invite à être prudente (surtout les femmes) pour franchir les étapes de l'âge. Mais quand on est jeune, rien ne nous arrête, surtout quand on a failli ne jamais vieillir sur scène. De plus, j'ai à prouver que je ne suis handicapée ni physiquement ni émotivement.

Il y a peu de temps, un jeune cinéaste m'a approchée, sur la pointe des pieds, pour m'offrir un rôle dans une première œuvre, avec cachet différé. Sa gêne à avouer l'ampleur du peu qu'il avait à m'offrir et l'élégance avec laquelle il m'a proposé un rôle « fait pour moi », disait-il, sont venues titiller mon goût du risque. Je lui ai répondu « oui », à sa plus grande surprise. J'espère ne jamais perdre ce goût de me lancer dans le vide, même si fondamentalement je suis peureuse.

C'est un lieu commun de dire que l'exercice théâtral procure les plus grandes joies. Et ce, à trois niveaux. Celui de l'approfondissement des rôles qu'on y aborde, du contact direct avec le public et du lien fraternel qui se crée presque à tout coup dans l'équipe de production. Mais rares sont les comédiens qui franchissent le cap de la reconnaissance publique uniquement grâce à ce médium. Le petit écran demeure le tremplin le plus sûr pour « se faire un nom ». J'y ferai le mien, encore une fois grâce à un contre-emploi, celui de « Doudou » dans *La Rue des Pignons*.

Madame Mia Riddez, qui a pris la succession de son mari Louis Morissette dans l'écriture de ce téléroman, vient à la Place-des-Arts pour la reprise de la comédie musicale de Michel Tremblay, *Demain matin, Montréal m'attend.* J'y tiens le rôle d'une prostituée s'adonnant aux jeux sadomasochistes avec bikini de cuir, bas résille, fouet et perruque noire. Bref, tous les attributs et l'allure stéréotypée qu'on a l'habitude de donner à ce genre de personnage. Même si on se fréquente au niveau personnel depuis quelque deux ans, mon éventuelle présence dans la télésérie, qui dure depuis presque six ans déjà, n'a jamais été évoquée. Mais là, c'est le choc et ma vue dans ce rôle lui inspire l'idée de créer un personnage qui a « le même chien », me dit-elle.

Elle crée « Doudou » pour mon plus grand bonheur. Une fille paumée, élevée par un père alcoolique et que rien ne destine au bonheur. Sa gouaille et sa détermination auront raison de la mauvaise étoile sous laquelle elle est née. « Doudou » me fait naître aux yeux du public. Elle marque le début d'une aventure qui n'arrêtera pas de me propulser en avant. On dit souvent que la chance est un facteur de réussite aussi important que le talent dans ce métier. Et j'y crois. Qui d'autre qu'elle peut mettre sur ma route autant d'éléments favorables ? Un auteur qui me choisit, un personnage qui me sied et un public qui marche spontanément.

Dans un deuxième temps, il faut saisir la chance à bras-le-corps et la faire fructifier à son profit. C'est là qu'interviennent le libre arbitre de chacun ainsi que le travail. C'est sans honte que j'avoue profiter de tout ce que le métier m'offre. Mais c'est avec fierté que j'affirme n'avoir rien fait, même les plus petites choses, sans y mettre toute l'énergie requise. Je ne connais pas un égal succès dans tout, mais tout est fait avec le même amour et la même volonté de réussir.

Quelques années plus tard, « Simone Saint-Laurent », le personnage pivot de *Peau de banane,* me fait accéder au statut de « vedette ». L'idée et l'écriture de ce téléroman sont nées de ma rencontre avec Guy Fournier. Notre différence d'âge et sa curiosité personnelle pour tout ce qui peut l'alimenter en matière d'écriture orientent nos conversations vers la création d'un personnage féminin qui serait le centre d'une cellule familiale atypique, comme il en existe de plus en plus dans la société québécoise du début des années 1980. Son talent personnel fait le reste pour mener le projet à terme. Simone et son patois « saintes fesses ! » deviennent l'étalon de mesure de la femme libérée. Heureuse en affaires et en amour, elle réussit à concilier l'inconciliable. Patronne d'une agence de publicité, amoureuse comblée d'un homme mi-macho mi-homme rose et mère par procuration de ses deux enfants. Bref, de quoi rendre fou n'importe qui sauf elle... *Peau de banane* se maintient dans le peloton de tête des cotes d'écoute pendant plusieurs années et me permet d'obtenir la « Rose d'or », récompense suprême, témoignage d'affection accordé par le public chaque année dans le cadre du « Salon de la femme ».

Il y a des moments dans la vie où les bilans s'imposent d'eux-mêmes. La fin de *Peau de banane* en est un. Il faut fermer le livre alors qu'on est au paroxysme du bonheur. On voudrait prolonger celui-ci mais l'auteur, Christian Fournier, qui a pris la relève de son père Guy, parti conquérir le monde sur un nouveau réseau de télévision, a le goût d'autre chose. Qui pourrait le blâmer de vouloir se faire un prénom quand on possède un patronyme aussi fort et le talent qu'il a ? Il en va des grands succès comme des grands bonheurs, ils naissent souvent dans la douleur. Pour *Peau de banane,* c'est le cas. Notre troisième ou quatrième enregistrement coïncide avec le début d'une longue grève des techniciens à Télé-Métropole. Pierre A.

Morin, habitué à tourner avec trois caméras, se retrouve subitement à faire de la réalisation à une caméra comme au cinéma. Les champs et les contrechamps lui donnent des boutons. Il doit s'en souvenir encore aujourd'hui.

Pendant de longs mois, nous franchissons les lignes de piquetage constituées de visages connus, obligés que nous sommes de respecter nos contrats individuels. Depuis la désormais mémorable grève de 1958 initiée par les réalisateurs à Radio-Canada et suivie par les auteurs et les interprètes en guise d'appui, il perdure un syndrome à l'Union des artistes. Les souffrances personnelles ont dû être grandes pour qu'une collectivité aussi prompte à porter le flambeau de toutes les causes humanitaires, envers et contre toute logique parfois, se repose ainsi sur des valeurs juridiques pour refuser d'emboîter le pas. La comédienne et présidente de l'Union que je suis à l'époque suit le mouvement. Aurais-je dû pousser à la désobéissance en osant moi-même ne pas respecter mon contrat ? Je ne le saurai jamais puisque je n'ai pas eu ce courage, pas plus que quiconque depuis. Le dilemme reste entier entre travailleurs salariés avec permanence d'emploi et pigistes contractuels travaillant sur un même plateau. Je n'ai surtout pas la prétention de pouvoir trancher, même avec le recul des ans et de l'expérience.

Parallèlement à la télévision, je joue au théâtre dans une quinzaine de pièces. Toujours des premiers rôles, mais aucun des « grands rôles » de répertoire, comme il m'est arrivé si souvent de le faire au théâtre amateur. Je n'en conçois aucune honte, juste quelques regrets compensés par tout ce que j'ai fait ailleurs dans le métier. Mes meilleurs souvenirs se rattachent à des rôles, certes, mais surtout à des gens avec qui et grâce à qui j'ai pu les tenir. Des camarades acteurs, des metteurs en scène, des directeurs de théâtre qui m'ont aidée, épaulée, soutenue et surtout retenue pour un rôle. Les nommer serait faire insulte à ceux que je risque d'oublier. Ceux qui en sont se reconnaîtront.

Avril 1989. *Peau de banane* est terminé, il faut passer à autre chose. Je quitte « Simone » qui m'habite depuis cinq ans et, avec elle, une famille d'adoption qui m'a permis d'apprivoiser le passage de l'enfance à l'adolescence de deux jeunes artistes en devenir : Marie-Soleil et Sébastien Tougas. Humainement et professionnellement, ils m'ont enrichie.

Il faut, de plus, garder la tête froide, de peur que le succès la fasse grossir et éclater. Les nombreux trophées remportés pendant cette période de ma vie doivent servir de moteur pour continuer et non de frein pour m'asseoir sur des lauriers vite oubliés par les autres. La rançon de la gloire, surtout dans un petit pays comme le nôtre, c'est d'avoir à se remettre en question professionnellement succès après succès, après échec, après succès... sans fin.

Chaque fin de production comporte une période de deuil qu'on doit s'habituer à traverser. Cela fait partie du métier. Toute comparaison étant mauvaise, je dirais que c'est la dépression *post-partum* de l'acteur. Il s'écoule deux saisons avant que je ne reprenne du service dans un rôle au petit écran.

Le retour sur scène dans *La Baye,* de Philippe Adrien, au Théâtre d'Aujourd'hui est très motivant. J'interprète une femme qui n'a pas mon âge et d'un physique que je suis loin d'avoir ! Mes partenaires sont Jean-Pierre Saulnier, Frédérique Collin, Pierre Collin (de dos).

Le personnage créé par Mia Riddez me fait naître aux yeux du public. L'aventure n'arrêtera pas de me propulser en avant. Second mariage de « Doudou », dans *La Rue des Pignons*. On reconnaît Edgar Fruitier et Nicole Leblanc.

Non, je n'ai pas épousé Yvon Leroux ! Il s'agit du premier mariage de « Doudou », dans *La Rue des Pignons*. Également sur la photo, Danielle Roy, Roland Bédard et Reine France.

« Simone Saint-Laurent », le personnage pivot de *Peau de Banane,* me fait accéder au statut de « vedette ». En compagnie d'Yves Corbeil qui incarne « Claude Cayer ».

Dans *Peau de Banane* avec ma complice de toujours, Marie-Michèle Desrosiers.

« Simone » et son patois « saintes fesses ! » deviennent l'étalon de mesure de la femme libérée. Heureuse en affaires et en amour, elle réussit à concilier l'inconciliable. En compagnie de Benoît Girard, dans son rôle de « Narcisse Labbée ».

Ma famille d'adoption dans *Peau de banane* m'a permis d'apprivoiser le passage de l'enfance à l'adolescence de deux jeunes artistes en devenir : Marie-Soleil (ici dans le rôle de « Zoé ») et Sébastien Tougas.

Chapitre 3

À PROPOS
DE GENS IMPORTANTS

— À quel moment de votre vie avez-vous pris la décision de devenir comédienne ?

— Quel genre de formation avez-vous choisi de suivre pour embrasser la carrière artistique ?

Voilà deux questions qui me sont souvent posées lors de rencontres avec des étudiants ou avec des parents inquiets de l'avenir d'un enfant qui décide de s'orienter vers le monde du spectacle.

Répondre à la deuxième s'avère assez simple, à partir du moment où j'accepte de faire l'examen de conscience nécessaire pour répondre à la première.

La fille déterminée et autoritaire que je suis n'a, en fait, jamais pris la décision. La vie l'a prise pour elle. La vie et les gens que la vie a mis sur mon chemin. On croise beaucoup de monde. Certaines personnes ne font que passer, d'autres s'incrustent parfois malgré nous et forgent peu à peu ce que nous allons être, dans la mesure où nous savons les reconnaître et leur accorder l'attention qu'elles méritent, dans la mesure également où nous avons envie de nous laisser imprégner de l'énergie qui se dégage d'elles et de faire travailler cette énergie à notre profit. Cela suppose une bonne dose d'égoïsme, et je n'ai pas honte de l'affirmer : oui, je profite de ces cadeaux que le ciel met sur mon chemin.

La langue parlée au Québec dans les années cinquante a plutôt une saveur « joualisante ». Les tournures de phrases sont parsemées d'anglicismes. Le vocabulaire limité des gens de notre milieu et l'absence d'équivalent français des mots anglais utilisés dans la vie courante, tout cela obsède ma mère. Elle voit, dans le langage correct de certains de ses clients au restaurant, la marque d'une évolution sociale. À tort ou à raison, elle rêve pour ses enfants d'un avenir meilleur que le sien.

Dès l'âge de trois ans, elle m'inscrit dans une école de diction. Je mentirais si je vous disais posséder un seul souvenir de la seule année que j'y ai passée. Mon caractère buté me garde bouche cousue pendant tout mon séjour chez ce professeur dont je ne me rappelle pas le nom, et pour cause !

Sur les conseils d'une voisine, madame Beaudry, qui y envoie déjà sa fille, ma mère m'inscrit, dans ma quatrième année, au Studio Liette Duhamel. Toujours selon madame Beaudry, Liette et sa sœur Claire, qui enseigne le ballet, sont deux professeures qui savent allier l'art de la pédagogie à des qualités professionnelles et artistiques reconnues. « Elles ont un don avec les enfants. » Un don, certes, puisqu'elles sont à l'origine de la carrière de nombreux artistes, professeurs et personnages publics. Un don qui transcende l'enseignement de la langue et du ballet. Elles nous apprennent à vivre, à aimer les belles choses, à aller au spectacle, à découvrir le monde.

Je passe seize ans de ma vie à les côtoyer et à bénéficier du savoir de Liette. En ce qui a trait au ballet, mon peu d'habileté physique et peut-être aussi une certaine paresse me font abandonner les entrechats vers l'âge de treize ans. Abandonner la danse, mais pas Claire Duhamel.

Le but premier de ces études de diction est de nous apprendre à bien parler. Le but ultime, pour les persévérantes dont je suis : l'obtention d'un brevet d'enseignement en phonétique et stylistique française. Mais l'enseignement de Liette déborde du strict apprentissage de tout ce qui touche à la langue, il vise avant tout à former des hommes et des femmes qui ont plaisir à parler le français et sauront perpétuer cet usage autour d'eux.

Apprendre à bien parler n'est pas en soi quelque chose de très palpitant pour des enfants et c'est là que le sens de la pédagogie de Liette entre en jeu. Elle nous donne, en prime, une formation artistique adaptée à ses desseins. Pour rendre ses cours plus intéressants, elle nous fait apprendre des poèmes, des extraits de pièces qu'elle met en scène afin de nous permettre de nous extérioriser tant physiquement qu'intellectuellement.

La dimension du jeu lui permet de captiver, sans trop de rigueur, les jeunes énergies qui passent entre ses mains jour après jour, année après année. De cette femme admirable de patience et d'imagination, je retiens tout autant les leçons de vie que les leçons de français parlé.

Mes premiers contacts avec la scène, c'est grâce à elle que je les vis. Afin de permettre aux parents de mesurer les progrès de leur progéniture, elle monte, chaque fin d'année, un spectacle intégrant piécettes, chansons et numéros de ballet. Nous promenons des extraits de ce méga-spectacle, tout au cours de l'année suivante, dans les maisons de retraite, les centres de loisirs ainsi que les hôpitaux.

Quand je ne joue pas, j'anime le spectacle. Elle m'exploite au maximum pour mon plus grand bonheur. J'apprends ainsi à vivre avec le trac déjà présent malgré l'insouciance de la jeunesse et à contrôler mes premiers auditoires difficiles. Le calme de certaines salles remplies de personnes âgées qui ne demandent qu'à être émues succède souvent à l'ambiance survoltée des centres de loisirs pour jeunes, ou encore à l'enthousiasme désordonné de Saint-Jean-de-Dieu, aujourd'hui rebaptisé Hôpital Hippolyte-Lafontaine. Une salle qui répond aux questions avant sa propre partenaire, ça demande de la souplesse.

Pour moi, et pour beaucoup d'autres, Liette est une seconde mère, une confidente qui m'accompagne de la petite enfance jusqu'à l'âge adulte. Son raffinement vestimentaire, la précision et le souci du détail qu'elle apporte dans toutes les manifestations publiques ou privées qu'elle organise, son port altier tempéré par la délicatesse de ses manières et de ses propos, tout en elle converge vers la perfection. Sans pour autant négliger d'être présente dans le quotidien des nombreux parents et élèves qui fréquentent son studio. Un studio bien ancré dans un milieu populaire où les gens ont souvent bien du mal à rencontrer leurs fins de mois.

Elle écoute avec bienveillance nos doléances d'adolescentes en mal d'amour et de liberté. Le vendredi soir, après les cours, entre deux bouchées de toasts au fromage préparées par madame Duhamel mère, elle nous écoute refaire le monde sans jamais juger. Où va-t-elle puiser ce sens inné de la psychologie, elle qui n'a jamais eu d'enfants ? Pour utiliser une formule consacrée à l'époque, je peux dire qu'« elle a la vocation ».

C'est sur les conseils de Liette que je commence à suivre des cours auprès de professionnels de l'interprétation. Dans sa grande modestie, elle estime ne pas posséder les compétences requises pour me permettre de dépasser un certain niveau. Elle sème en moi le germe de l'actrice et, comme son but premier est de former des professeurs, elle m'oriente vers quelqu'un qui pourra le faire croître.

Madame Sita Riddez, sœur de Mia qui me confiera mon premier rôle important à la télévision dans *Rue des Pignons,* m'accueille dans son cénacle. Est-ce déjà un signe prémonitoire ? Je plonge à corps perdu dans Molière, Corneille et Racine... le bonheur. Sita Riddez, qui écoute ses élèves, bien calée dans son fauteuil, les deux yeux fermés pour mieux saisir notre capacité à rendre des textes qui n'ont plus de secrets pour elle, creuse en moi le nid de ce que sera ma vie professionnelle.

J'obtiens mon brevet d'enseignement en phonétique avec très grande distinction, le tout couronné par la médaille du lieutenant-gouverneur, comme meilleure élève de ma promotion. Ça ne fait pas de moi pour autant un bon professeur. Je m'y essaie sans réel bonheur. Je me rends compte ici que le plaisir me sert toujours de guide. Étonnant, pour une fille en apparence si sérieuse.

Je n'aime pas enseigner, mais j'ai toujours aimé l'école. De mon passage à l'école primaire et secondaire, rien à dire, si ce n'est que j'ai de bons professeurs et que je suis une élève studieuse et disciplinée. Bien ennuyeux et pas très « olé olé » à raconter !

C'est véritablement lors de mon entrée en Belles-Lettres au collège Marie-Anne que ma nature éclate. Avec quelques camarades, nous fondons un comité d'art dramatique. Nous mettons sur pied un fonds spécial destiné à recevoir nos cotisations personnelles et où les religieuses déposent également certaines sommes destinées aux activités parascolaires. C'est ainsi qu'au lieu d'embaucher un professeur de gymnastique de plus, nous engageons Claude Saint-Denis et Yves Massicotte, qui nous apprennent respectivement le mime et l'improvisation. Ces cours nous permettent de suivre un apprentissage personnel très formateur et de monter des spectacles.

Pendant trois années consécutives, se déroule le Festival intercollégial d'art dramatique, qui regroupe collèges de garçons et collèges de filles. Les pièces sont montées et jugées par des professionnels de la scène. Nous sommes survoltées, autant par l'idée de jouer que par le fait que nous le faisons avec des garçons. Une fois n'est pas coutume, les sœurs admettent leur présence au collège pour les répétitions, tout cela sous la haute surveillance de sœur Marie-Pacifique, la préfète de discipline. Un nom prédestiné pour une religieuse dont la charge première est de maintenir l'ordre, mais qui le fait toujours dans le plus grand respect de nos individualités naissantes. Tout cela peut sembler drôle aujourd'hui où, dès la maternelle, les deux sexes se côtoient quotidiennement. Mais essayez d'imaginer une bande de filles de 16-17 ans, confinées aux études et aux relations féminines, qui se retrouvent subitement à passer leurs soirées avec Robert Charlebois, Jean-Guy Moreau ou Jean Leclerc. Ça ne peut faire que des étincelles !

Forte de deux prix d'interprétation gagnés lors de ce festival, je mets sur pied un petit récital de poésie que je présente les fins de semaine dans les boîtes à chansons, en première partie d'artistes renommés.

C'est l'époque de la chanson à textes qu'on a besoin d'écouter en complète communion avec l'interprète ou l'auteur-compositeur. Ainsi, fleurissent un peu partout à Montréal et en périphérie de ces petits lieux de rencontre où, dans le noir d'une salle enfumée, on va rêver d'amour et de Québec libre. C'est la Révolution tranquille, le début d'un temps nouveau !

Les petites boîtes à chansons servent de tremplin aux artistes pour accéder aux salles plus grandes, mais aussi de lieux de rencontre pour leurs adeptes.

En tant qu'être humain, il est important de se sentir aimé et appuyé pour évoluer. Le simple fait d'être encouragé, épaulé, nous rassure sur nos capacités et nous amène parfois à nous dépasser.

Michel Lussier, un de mes professeurs en Philo 1 et 2, promène dans sa voiture, de boîte en boîte, ce que j'appelle mon « groupe de soutien ». Une demi-douzaine de filles qui me permettent de ne pas me sentir trop esseulée face aux Claude Léveillée, Renée Claude et Claude Gauthier que je précède en spectacle. Ce professeur exceptionnel, le deuxième dans ma vie, sait conjuguer ses dons d'éducateur et de pédagogue. Au-delà des matières qu'il nous enseigne, il nous transmet l'amour des arts, l'amour de la vie.

Une autre de ces rencontres qui constituent un grand moment de ma vie dont je ne prends pas toujours la dimension tout de suite, mais dont j'apprécie la valeur des années plus tard.

J'ai vingt ans, je vais passer mon bac. Toutes les filles s'interrogent et se torturent pour choisir une orientation et se bâtir un avenir. Moi pas. Je me laisse porter. La dualité en moi se confirme. Je suis et resterai une paresseuse qui travaille fort.

Au lieu de m'atteler à préparer l'audition d'entrée au Conservatoire ou à l'École Nationale, je choisis la voie dérivée des cours privés. Je travaille à mi-temps comme professeure suppléante et comme professeure de diction pour ne pas continuer à être un poids matériel pour ma mère. Faire de la suppléance dans les écoles n'est jamais une tâche facile. Pas plus autrefois qu'aujourd'hui. On n'est que de passage, et ça tout le monde en est bien conscient. Faire face à une dizaine de couvercles de pupitres relevés en guise de protestation ou à deux élèves qui perdent conscience intentionnellement grâce à des papiers buvard insérés dans leurs chaussures, ça ébranle. Pour ce qui est des cours de diction, ma patience atteint vite sa limite. J'adore jouer, mais apprendre à d'autres à le faire, ça n'est pas ma tasse de thé. D'autant moins que la plupart des enfants à qui j'enseigne viennent non par envie personnelle, mais parce que leurs parents les emmènent. J'aurais dû m'y plaire, mais ça n'est pas le cas. Et ça, les élèves doivent le sentir. Alors, je décide d'abandonner. Et la vie continue...

Je prépare l'audition générale de Radio-Canada, que je rate glorieusement. Je n'entrerai jamais dans les bonnes grâces de madame Emma Hodgson, la responsable du service de *casting* de la société d'État. Mais elle me donne deux conseils que je suis à la lettre et qui sont, peut-être malgré elle, responsables de ma carrière. *Primo,* grâce à la chirurgie esthétique, je me fais enlever la protubérance qui me fait office de double menton et me vieillit prématurément. *Secundo,* je m'inscris à des cours chez monsieur Henri Norbert. Il canalise mes émotions, me dégage de mes inhibitions de jeune fille encore en fleur malgré mes vingt ans et me rend consciente de mes possibilités.

Pendant plus de deux ans, il me dispense ses précieux conseils sous l'œil scrutateur de son chat siamois, toujours allongé sur la table devant lui. La fin du cours est marquée par la voix tonitruante de son fils adoptif, garde du corps et homme à tout faire, Rudolf, qui vient le chercher pour l'emmener soit dans un studio de télévision, soit à une répétition théâtrale.

Il marque de façon magistrale la fin de mon passage chez lui en m'offrant un premier rôle dans sa pièce *Madame Idora* qu'il monte l'été suivant à son théâtre de Sun Valley, dans les Laurentides. Un rôle qui m'apprend l'humilité. Un faux beau rôle. Le plus long de la pièce, mais qui ne sert, en fait, que de faire-valoir aux autres, qui eux, décrochent tous les rires. Dans une comédie, c'est dur à prendre ! Mais je joue et c'est ce qui importe.

Grâce à Henri Norbert et à Louis Lalande, son successeur, j'ai l'occasion de me retrouver, à deux autres reprises, sur la scène du théâtre de Sun Valley, qui figure parmi les pionniers du genre, mais qui n'existe malheureusement plus aujourd'hui.

C'est sur l'autoroute des Laurentides, à l'occasion de nos allers et retours professionnels, que se noue ma première amitié professionnelle d'importance. Andrée St-Laurent, aujourd'hui décédée, croise ainsi ma route pour y imprimer un souvenir indélébile. Grande dame du théâtre et de la télévision, elle en impose tant par son physique que par sa façon de travailler et par ses opinions qu'elle sait faire valoir avec vigueur. Indépendantiste de la première heure, militante au sein du RIN (Rassemblement pour l'indépendance nationale), je me souviens encore de sa douleur quand le Parti québécois rate son rendez-vous électoral de 1972.

J'ai invité une vingtaine de personnes à venir célébrer la soirée des élections chez moi, coin Decelles et Jean-Brillant. Une vingtaine d'indépendantistes convaincus de la victoire de René Lévesque. Une soirée inoubliable où l'espoir et la joie ont peu à peu fait place à la déception et à la peine. Aucun *party* ne vaut ces soirées d'élection où, rivés à nos écrans de télévision, nous nous laissons enflammer ou briser au rythme du présentateur, et surtout au rythme de l'énoncé des résultats. Andrée, qui travaille dans un comté, ne se joint finalement jamais à nous. Un appel laconique vers 22 h nous apprend qu'elle rentre seule chez elle cuver sa peine.

De tempérament maternel, Andrée me couve et m'abreuve de précieux conseils. Elle sait comment aborder les gens et les pousser au maximum de ce qu'ils peuvent donner, tout en étant d'une sévérité incroyable lorsqu'elle pense que l'on trahit son idéal ou qu'on ne va pas au bout de ses capacités. Elle possède l'art de souder les amitiés et de rassembler les gens. Daniel Roussel et Hubert Noël, lui aussi disparu trop vite, comme Andrée, sont de ceux-là.

C'est le début des années soixante-dix, l'époque du défoulement collectif et des thérapies de groupe. Je joue dans *La Jambe en l'air,* de Louise Matteau, au Patriote, rue Sainte-Catherine. C'est une espèce de revue-comédie musicale dans laquelle on crie, on saute, on se roule par terre, bref on explose comme jamais je ne l'ai fait sur scène auparavant.

Je revois Andrée le soir de la première et je l'entends encore me dire, découragée :

— Jamais je n'aurais pensé te voir dans un spectacle comme ça ! C'est décadent, dégradant, comme un spectacle de « club ». Mais enfin... peut-être cela te servira-t-il !

Ceci dit en mordillant le filtre de sa cigarette. Un cendrier rempli par Andrée, c'est reconnaissable. Leur trop grand nombre a sûrement hâté son décès.

La fascination que j'éprouve pour cette femme s'explique par la forte personnalité qui émane d'elle. Elle vit à cent à l'heure, voit tout ce qui se fait dans le domaine artistique et peut en parler à satiété. À la fois mère, éducatrice et grande sœur, elle compte énormément dans le cours de ma vie.

La chance, voilà la grande compagne de ma vie. La chance tout court et la chance d'avoir rencontré des gens exceptionnels et d'avoir pu saisir ce qu'ils avaient à m'offrir. Ma carrière se bâtit par petits blocs qui se superposent presque à mon insu. Pas de plan de carrière conçu d'avance. Mais une volonté de saisir à pleines mains tout ce qui se présente. Deux leitmotive : le premier, me forcer pour être bonne ; le second, être agréable à ceux avec qui je travaille.

L'effort, principe de vie mis dans le moindre petit travail, le rôle le plus effacé comme le plus grand, ou même lors d'une audition, voilà ce qui me forme. Travailler n'est et ne sera jamais un pensum. Même s'il faut me lever à cinq heures du matin pour un rôle moins intéressant qu'un autre. J'y mets toujours la même énergie, la même envie de dépassement, le même bonheur de faire mon métier que ce soit au théâtre, à la télé ou dans des commerciaux. Bien sûr, on ne bâtit pas une carrière sur des messages publicitaires. Mais tout a de l'importance dans ce milieu et si on essaie de donner le maximum à chaque fois, on ne sait pas où ça peut nous mener. Il faut faire les choses dans le plaisir, sinon mieux vaut y renoncer !

En haut, la première photo officielle de Michel et de moi. Il y en aura bien d'autres !

À tort ou à raison, ma mère rêve pour ses enfants d'un avenir meilleur que le sien. En bas, déjà, je pose pour la postérité.

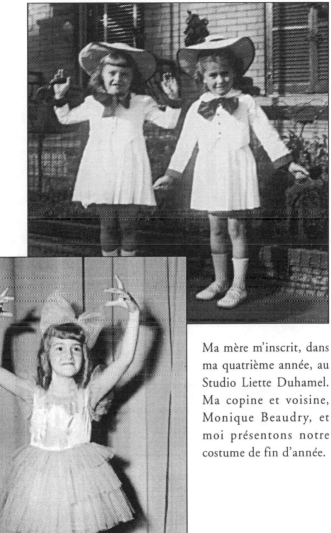

Ma mère m'inscrit, dans ma quatrième année, au Studio Liette Duhamel. Ma copine et voisine, Monique Beaudry, et moi présentons notre costume de fin d'année.

Mon peu d'habileté physique et peut-être aussi une certaine paresse me font abandonner les entrechats vers l'âge de treize ans.

Apprendre à bien parler n'est pas en soi quelque chose de très palpitant pour des enfants et c'est là que le sens de la pédagogie de Liette Duhamel entre en jeu. Elle nous donne, en prime, une formation artistique adaptée à ses desseins.

Mes premiers contacts avec la scène et le public, c'est grâce à Liette Duhamel que je les vis. Elle monte, chaque fin d'année, un spectacle intégrant piécettes, chansons et numéros de ballet. En 1950, dans « La Passion », je suis l'ange marqué d'un X.

Ma mère voit dans le langage correct la marque
d'une évolution sociale. Elle nous inscrit, mon frère et moi,
au Studio Liette Duhamel.

Ma mère et moi, rue Chabot.   Mon père, mon frère et moi,
rue Chabot.

Souvenirs d'amitiés enfantines de la rue Chabot :
avec deux petites voisines, dans la cour de la maison.
J'ai trois ans.

Mon frère et moi sous le regard
de ma mère qui tient une petite
voisine dans ses bras.

Je suis encadrée d'Hélène Laurin
et de Serge Cloutier, les enfants
des voisins, rue Chabot.

Mon grand-père Joseph Bouchard, ma grand-mère Anna Bouchard,
mon père, ma mère et moi lors d'un mariage dans la famille.

Lors de mon entrée en Belles-Lettres au collège Marie-Anne ; c'est là que ma nature éclate. Avec quelques camarades, nous fondons un comité d'art dramatique.

En 1971, Henri Norbert marque de façon magistrale la fin de mon passage chez lui en m'offrant un premier rôle dans sa pièce *Madame Idora* qu'il monte l'été suivant à son théâtre de Sun Valley, dans les Laurentides. J'y joue à ses côtés en compagnie de Serge Laprade.

Dans *Madame Idora,* en compagnie de Serge Laprade. Un rôle qui m'apprend l'humilité. Un faux beau rôle qui sert de faire-valoir aux autres qui, eux, décrochent tous les rires. Dans une comédie, c'est dur à prendre !

Andrée St-Laurent, aujourd'hui décédée, croise ma route pour y imprimer un souvenir indélébile. De gauche à droite : Andrée St-Laurent, Henri Norbert et moi.

Lors de mon assermentation au Conseil de la langue française, en 1978. Les cours de Liette Duhamel portent fruit, plus que ma mère n'aurait pu l'imaginer !

Chapitre 4

VIE PRIVÉE

Faire partie du milieu artistique sous-entend presque implicitement l'étalage public des faits et gestes signifiants de notre existence. « Qu'on parle de nous, en bien ou en mal, mais qu'on en parle ! » Facile à dire, mais pas toujours facile à vivre. Si on est peu connu, c'est assez simple d'être discret puisque aucun journaliste ne nous pose de questions. C'est à partir du moment où l'on atteint le statut de « vedette » que, subitement, on devient intéressant sous toutes nos coutures. Le Québec est un petit pays qui compte de nombreuses publications dans lesquelles on interroge les artistes sur ce qu'ils font, ce qu'ils sont, ce qu'ils consomment, comment ils vivent et, bien sûr, Avec Qui ils vivent ! Doit-on répondre à tout le monde ou faire un choix arbitraire de ceux à qui on accepte de se confier ? Doit-on répondre à toutes les questions ou ne recevoir que celles touchant le métier ? Existent-ils vraiment, ces droits du public à tout savoir, comme le prétendent certains journalistes ? Quels sont les devoirs de l'artiste lui-même envers le public qui lui permet de s'exprimer et l'apprécie en retour ? Ne sont-ils pas strictement d'ordre professionnel ?

Ceci étant posé, les réponses sont, je crois, personnelles à chaque artiste et le degré d'ouverture de chacun sur son jardin secret ne regarde que lui-même et ses proches, bien sûr. Car, qu'on le veuille ou non, ils en subissent les conséquences.

Hormis un prologue dont je parlerai ultérieurement, ma vie sur ce plan se divise en trois étapes bien distinctes dont la troisième s'avère infiniment plus difficile à gérer que les deux premières.

D'un naturel ouvert, franc et direct (un peu trop parfois !), j'ai toujours assez bien navigué dans les relations publiques. Mes débuts se font lentement, par petites étapes, sans gros éclats côté carrière. La comédienne chemine en parallèle avec la syndicaliste et la deuxième prend nettement le pas sur la première, tout au moins publiquement. Peu d'incursion dans ma vie privée et ça arrange tout le monde, particulièrement mon compagnon de l'époque qui n'y tient pas, mais alors, pas du tout. Ce sont dix années de vie privée, si secrète, qu'encore aujourd'hui les gens sursautent quand je leur parle de ma période « fermière ».

Puisqu'il faut en parler, l'image que je projette est aux antipodes de la femme en salopette et bottes de caoutchouc occupée à remplir les auges des poules et à racler leur « m... » sur le sol de la grange. J'ai plus l'allure tailleur Saint-Laurent et escarpins vernis qui se promène de cocktail en première de théâtre.

Au-delà de l'image, il y a moi qui vis « un retour à la terre » au milieu des années soixante-dix. Achat d'une ferme dans les Cantons de l'Est : deux cent douze acres de belle terre de roches et d'épinettes. La nécessaire maison pièce sur pièce à rénover. On la veut comme elle était à l'origine, on ne lésine sur rien, surtout pas sur la « dépense »... après tout, on n'a qu'une vie à vivre ! On abat des murs, il faut de grandes pièces pour se côtoyer et « communiquer », on enlève la galerie pour laisser passer la lumière, on écume tous les antiquaires des environs pour trouver des meubles d'époque, on décape, on fait son pain, dur comme de la roche. On est heureux... et on trippe !

Première étape de l'exploitation d'une ferme : le potager. Culture sans engrais chimique, bien sûr ! C'est le début de la vague écologique. On dévore tout ce qui s'écrit sur le sujet. Quand on partage la vie d'un libraire, l'avantage est de pouvoir se renseigner à fond sur la théorie. On oublie que le savoir-faire ne s'apprend pas dans les livres, malheureusement ! Premier choc. La terre de roches produit peu et, sans engrais, ça pousse, mais petit... petit... petit... Une douzaine de carottes de trois pouces de long par un demi-pouce de diamètre, ça fait pas une grosse congélation de potage Crécy ! Mais ça occupe un printemps et un été avant que la récolte d'automne ne vienne nous conforter dans la conviction que nous allons devoir nous tourner vers l'élevage. Après quelques nuits de discussions bien arrosées et quelques prises de bec « intellectuelles » sur le choix le plus original, on finit par s'entendre sur le poulet de grain, peu répandu à l'époque. On voit là un marché à exploiter et de l'argent à faire. Gros problème : comment organiser tout ça ?

La ferme est à presque deux heures de route de Montréal. Je joue du mardi soir au samedi au théâtre de Sun Valley, dans les Laurentides, et mon compagnon travaille à sa librairie du mardi au samedi. Qu'à cela ne tienne, nous embauchons un adolescent, fils d'un ami, pour tenir le fort en notre absence. On ne le paie pas cher, mais on lui offre gîte et repas en supplément. Je passe donc tous mes dimanches de l'été « la bedaine sur le poêle » à préparer ses repas de la semaine pendant que mon compagnon s'affaire dans les champs ou au poulailler à réparer les erreurs de parcours et à comprendre le phénomène du cannibalisme chez la poule. On apprend qu'une poule « victime » le restera toute sa vie. Affectée d'une blessure ouverte, elle devient l'aiguise-bec de ses consœurs jusqu'à ce que mort s'ensuive ! Il faut donc l'isoler et la protéger, malgré elle !

On veut bien dépenser, mais faut que ça rapporte ! On commence avec cinq cents poussins, un chiffre rond. Tant qu'à faire, faisons ça en grand ! Cinq cents oisillons jaunes qui grossissent dans la grange, c'est beau à voir, les trois premières semaines ! Cinq cents grosses poules blanches niaiseuses qu'il faut sortir dans l'enclos, c'est un peu plus compliqué que de cultiver des radis et le résultat n'en est que plus aléatoire. Une fois rendues à maturité, il faut les emmener à l'abattoir et trouver un marché pour les écouler. Au final : le prix de revient de chaque poule dépasse largement son prix de vente ! Assez bonne perte pour les deux associés que nous sommes, mais le couple tient bon !

On commence à fréquenter les encans d'animaux, c'est quand même plus vivant qu'un livre, comme approche de la « bête idéale » à élever. On hésite entre la chèvre et le mouton. Les deux nous attirent et ce sont des bestioles autrement plus attachantes que les poules. Grâce au ciel, le fils d'un de nos voisins nous évite la catastrophe. Il fait des études à l'école d'agriculture de Sainte-Anne-de-la-Pocatière et se cherche un travail d'été. Il est intéressé à s'installer chez nous. Le « hic » : il se spécialise dans le veau de grain et veut profiter des commodités que nous lui offrons pour tester ses connaissances sur quelques bêtes dont il assume le coût grâce à une bourse d'étude. Qu'à cela ne tienne, nous nous mettons au veau nous aussi ! Ce printemps-là, cinq veaux de grain, cinq veaux de lait et vingt-cinq poules font revivre notre grange.

La promiscuité d'animaux de taille et de poids fort différents nous fait perdre trois poussins écrasés sous les pattes des veaux trop curieux. Le teckel du voisin nous en égorge deux autres par un beau dimanche matin ensoleillé de juillet et nous devons en tuer un sixième avant sa maturité pour cause d'infirmité à une patte, ce qui en fait une victime facile pour les autres. Afin de lui éviter la mort à petit feu sous l'assaut des coups de becs de ses consœurs cannibales, ou encore les dents acérées du chien du voisin, nous préférons le faire passer rapidement de vie à trépas. Sans avoir toutefois le courage de le manger ! Courage qui nous est revenu, par contre, pour déguster au cours de l'année suivante ses dix-neuf consœurs qui, toutes proportions gardées avec l'année précédente, nous revenaient encore assez cher par tête de pipe.

Le petit voisin couvre ses frais avec ses veaux de grain, mais sa méconnaissance du veau de lait et notre incurie personnelle font le reste pour nous ramener à l'encan avec nos pauvres petites bêtes. Nous les revendons moins cher que le prix d'achat et c'en est fini de notre volonté de faire fructifier notre lopin de terre. Le ciel veut-il nous récompenser un peu de nos échecs et de nos pertes ? Toujours est-il que, quelques mois avant la rupture définitive, le gouvernement, qui retape la route environnante, nous achète plusieurs camions de sable et de gravier. Sans le savoir, nous possédions un petite mine (plus exactement une fosse) de ces deux matériaux et en tirons quelque deux mille dollars de profit. Ça met un baume sur nos plaies, mais ça ne ressoude pas le couple.

Après dix ans de vie commune, hors mariage, je redeviens célibataire. Avec des qualités en plus, cependant. J'ai appris à tenir maison, à cuisiner, à réparer, à peindre et à faire du jardinage. Toutes choses que ma mère avait soigneusement évité de m'apprendre, espérant pour moi la rencontre du prince charmant qui m'éviterait à jamais ces vulgaires tâches domestiques.

Bizarrerie de la vie, j'ai toujours aimé les travaux de maison, particulièrement le repassage dont je me sers comme moment de réflexion.

Ma première union libre et la simplicité avec laquelle la séparation s'effectue me conforte dans l'idée que le mariage n'occasionne que des problèmes et n'a été inventé que pour faire plaisir aux curés.

La fin de mon adolescence coïncide avec l'abandon massif de la pratique religieuse par les Québécois. On se soustrait au joug de l'Église et à l'emprise qu'elle a sur nos consciences. Je commence ma vie d'adulte avec *La Femme eunuque* de Germaine Greer. Enlever son soutien-gorge est le signe visible du besoin qu'on a de vivre une liberté pleine et entière. Surtout en matière de sexualité, sujet tabou entre tous. J'aurai vécu en union libre à deux reprises et pour de longues périodes sans jamais avoir le sentiment d'être à côté de la *track*. Deux unions que je veux pour la vie, en toute sincérité.

Mon engagement personnel n'en est pas moins profond parce que non consigné dans un registre de mariage. Au troisième essai, je convole. Pourquoi ? Sûrement parce que je suis prête !

Maman a très mal supporté mon départ de la maison pour aller vivre « en concubinage ». C'est la première coupure entre elle et moi, mais une coupure importante. Elle refuse de mettre les pieds chez nous, dans le foyer d'un homme qu'elle ne connaît pas et qui ne s'engage pas formellement avec sa fille. Ses blâmes s'adressent surtout à moi. L'opinion des autres compte beaucoup pour elle. Comment sa fille, qu'elle a si bien élevée, peut-elle ainsi renier ses principes ! C'est mon frère qui sert d'intermédiaire à notre réconciliation. En l'absence du « libraire », il l'emmène visiter notre petit appartement sur les hauteurs du Mont-Royal, au faîte de la rue Ridgewood, à l'ombre de l'Oratoire Saint-Joseph. Est-ce la main de celui-ci ou celle du frère André, fondateur de ce lieu de prières et artisan de beaucoup de miracles, qui s'abat sur ma mère ou bien les deux en même temps ? Toujours est-il qu'à partir de ce moment-là ses réserves sur mon concubinage fondent comme neige au soleil. Elle n'en reparle plus jamais. Et c'est dans notre vieille maison de pierre du quartier Côte-des-Neiges, en regardant défiler les étudiants de l'Université de Montréal toute proche, qu'elle passe les derniers mois de sa vie. Soutenue par « l'homme », je l'accompagne dans les douleurs physiques et morales qui sont siennes au cours des mois. Contre tout orgueil, et pour la première fois de sa vie, elle accepte les mains tendues.

La rupture de cette union a donc lieu après dix ans de vie commune. Ni pour lui ni pour moi, il ne s'agit d'un transfert d'amour vers quelqu'un d'autre. C'est tout bêtement et tout simplement l'effritement d'un lien que l'on croyait éternel.

Le choc du célibat n'est pas trop douloureux. Je passe une année complète à essayer de comprendre l'échec, à l'analyser de tous bords tous côtés. Les avis des proches sont partagés. Pour certains, c'est dommage ; pour d'autres, c'est une « maudite bonne affaire » : mon compagnon ne plaît pas à tous, on le trouve pas assez ceci... ou trop cela... Ce qui importe dans tout ce brouhaha, c'est de garder la tête froide et l'esprit clair pour faire le *postmortem* d'une union effondrée. En conserver les meilleurs souvenirs pour son album de famille et scruter les moins bons à la loupe, le plus honnêtement possible, pour ne pas s'engager dans la même trajectoire à l'avenir.

Une année consacrée à apprivoiser la solitude. À trente ans passés, c'est pas trop tôt ! S'endormir seule et se réveiller de même sans déprimer, trouver le courage de se rendre au cinéma et le culot d'aller manger ensuite dans un bon restaurant sans personne à qui parler. La fourchette d'une main et le magazine de l'autre, prendre le temps de mastiquer sans « complexer » de ne pas le faire en harmonie avec quelqu'un. Renouer avec ses amis sur une autre base que celle du couple, se faire accepter dans une soirée où les convives sont invités par paires et où l'intruse fait souvent office de trouble-fête... et surtout fait peur aux autres femmes ! Toutes choses vécues à deux pendant dix ans, qu'il faut réapprendre à faire en fonction de soi uniquement. Réapprendre à les faire en y trouvant autant de plaisir qu'avant. La santé du cœur est impossible sans la réappropriation de sa vie. C'est un grand ménage, détestable à faire, mais utile pour l'avenir. Je n'aime pas les grands ménages. Mais j'ai toujours trouvé le courage de m'y astreindre.

Mon souvenir me ramène à ces lundis matin de fin mars, juste avant Pâques, que ma mère choisit année après année pour faire le grand ravalement du printemps. La vision de l'escabeau trônant au milieu de la cuisine à l'endroit précis où elle en est de son lavage de plafond me fait faire la grimace. L'unique fenêtre et la porte, dégarnies de leur parure, nous donnent cependant une vue imprenable sur la ruelle de la rue Chabot et la corde à linge où sèchent les rideaux roses et blancs que ma mère lave à la main, pour qu'ils durent plus longtemps, entre deux clients à servir. On dîne au milieu du désordre le plus total et je n'ai qu'une hâte, reprendre le chemin de l'école. Ma mère couronne cependant cette semaine d'enfer par l'ultime récompense : elle m'emmène magasiner sur la rue Saint-Hubert. En alternance, une année j'ai droit à un manteau, l'année suivante à un tailleur dont il faut amortir le coup sur deux ans ainsi qu'à la traditionnelle paire de chaussures pastel pour harmoniser le tout. De quoi faire accepter n'importe quel ménage !

Je me sens revivre et prête à attaquer la dernière session scolaire avec l'énergie victorieuse de la lionne.

Se sentir d'aplomb, quelle sensation merveilleuse. Ni remords ni regrets, juste le sentiment qu'on a vécu de bien belles choses, que le meilleur reste à venir. Se sentir assez sûre de soi pour ne pas s'accrocher à un amour passager sans lendemain, tel est mon état d'âme quand le ministre des Affaires culturelles du Québec de l'époque me nomme au conseil d'administration de l'Institut québécois du cinéma.

Être femme au début des années quatre-vingt constitue un atout majeur. Bénéficier, de plus, d'une certaine notoriété – c'est mon cas comme présidente de l'Union des artistes, pas encore comme comédienne – c'est la cerise sur le *sundae*. On est en pleine campagne de promotion pour l'accès à l'égalité. En vue d'équilibrer les pouvoirs entre hommes et femmes, la tendance est à la nomination systématique de femmes à tous les conseils d'administration d'organismes publics et parapublics. Je jouis donc d'un privilège qui pèse lourd dans le deuxième tome de ma vie amoureuse.

Je n'ai pas eu la chance de beaucoup travailler au cinéma. À ce jour, je n'y ai tenu qu'un seul rôle important, celui de « mère Marie de l'Incarnation » dans un film d'une heure pour la télévision. Deux semaines de tournage à petit budget entourée de gens débrouillards qui, comme c'est encore souvent le cas aujourd'hui, mettent énormément d'énergie à parfaire une œuvre dont l'avenir est restreint à cause du bassin de population et du peu de diffusion à l'étranger d'œuvres de chez nous. Deux semaines à incarner la vie d'une femme hors du commun qui, après une maternité suivie d'un court veuvage, décide d'entrer en religion, de s'exiler à l'autre bout du monde pour dévouer sa vie au projet de son Dieu et des habitants du Nouveau Monde, voilà toute, ou à peu près toute, mon expérience au cinéma.

Ma connaissance de notre milieu cinématographique se fait donc au fur et à mesure des réunions du Conseil de l'Institut québécois du cinéma et au contact de ses membres. J'assiste à des réunions intenses et souvent houleuses, mais toujours ponctuées des traits d'humour de son président. Est-ce sa façon de désamorcer une discussion difficile par une pirouette verbale ou la facilité avec laquelle il analyse une situation dans sa globalité, ou encore la brillance avec laquelle il trouve une solution à tous les problèmes qui me séduisent ? Guy Fournier est un séducteur-né qui utilise des méthodes peu habituelles pour arriver à ses fins. La provocation et l'humour sont ses armes les plus efficaces et il en use abondamment. Tant et si bien qu'il peut dire les pires choses et faire les gestes les plus insensés sans que personne ne lui en tienne rigueur. Il conjugue l'innocence apparente de l'enfant et l'arrogance de l'adulte qui a tout vu et tout compris. Comment résister... Toujours est-il qu'au fil des mois, à notre insu, se tisse un lien qui va nous faire cheminer ensemble pendant treize ans.

Une grande partie de ce qu'est notre quotidien pendant ces années se retrouve à la une des journaux. Comment peut-il en être autrement ? Nous travaillons tous deux comme des « damnés » et notre vie commune coïncide avec l'écriture de *Peau de banane* qui me permet, grâce au rôle de « Simone Saint-Laurent », d'asseoir une réputation amorcée avec « Doudou » dans *La Rue des Pignons*.

Trois ans plus tard, il devient le maître à penser et le créateur de la deuxième chaîne de télévision privée du Québec. Pendant la même période, je fais ma place en tant qu'animatrice à la radio de CJMS. Comme c'est souvent le cas dans ce métier, un engagement en entraîne un autre et on m'offre une émission-magazine au nouveau réseau Quatre Saisons. La presse m'attend de pied ferme : la blonde du patron va-t-elle être à la hauteur ? Heureusement pour moi, je suis entourée d'une équipe forte et dévouée et l'émission connaît un succès dont on me parle encore aujourd'hui.

Nous vivons à cent à l'heure et j'apprends, grâce à lui, à rayer le mot « impossible » de mon vocabulaire. « Les défis, c'est fait pour te propulser en avant. » Les échecs, comme les succès, sont digérés de la même façon et ne doivent jamais freiner le goût d'aller plus loin. Ici, on n'apprend plus dans les livres, on vit, on agit, on « opère » comme il aime si bien le dire. On opère dans les petites comme dans les grandes choses. Qu'il s'agisse de planter cent cinquante pieds de haie de cèdre ou dix épinettes de deux pieds de haut, de se rendre en Californie pour rencontrer des producteurs américains, de rédiger un discours de vingt feuillets ou une bible de cent pages pour une œuvre future, tout autant que de cuisiner pour une vingtaine de personnes, on fait tout avec ferveur et passion. Je vis avec un bâtisseur qui ne s'arrêtera jamais et dont l'imagination n'a aucune limite, le tout enrobé d'un humour décapant et souvent déstabilisant.

La petite fille de Rosemont se laisse emporter par cette douce folie et cette fureur de vivre, elle évacue ses complexes et apprend à rire, d'elle-même surtout, et ce n'est pas toujours facile. Rien n'est à l'épreuve de Guy Fournier. Quand, en 1984, il traduit la pièce *Key Exchange,* de Kevin Wade, et décide en plus de la mettre en scène lui-même, je frémis. J'y interprète le seul rôle féminin de trois. La chimie fonctionne et on en ressort gagnants.

Nous connaissons des hauts et des bas au baromètre du bonheur, mais jamais rien d'uniforme ni de plat. Quelques échecs professionnels communs difficiles à avaler et parfois incompréhensibles, comme ce fut le cas de l'émission *Mon amour, mon amour,* à Radio-Canada, ponctuent notre parcours. De l'intérieur, et avec un peu de recul, force m'est de constater que le « match » de l'enfant terrible et de la femme du monde, qui réagissent à l'écran comme dans la vie, n'est pas encore prêt à être reçu par le commun des mortels. Cette union provocatrice du meilleur et du pire choque encore beaucoup et rebute les âmes délicates. Aurions-nous dû nous abstenir ? Je ne sais pas... Mais la réponse n'a pas grande importance. Je préfère le sentiment d'avoir essayé pour le mieux, au regret de ne pas avoir tenté l'expérience.

Certains voient là le point de rupture. Il n'en est rien. L'adversité nous a toujours plutôt soudés qu'éloignés. Au lieu d'élargir le fossé qu'un « choc sismique » a creusé entre nous à la mi-temps de 1993, *Mon amour, mon amour* nous permet de nous apprécier mutuellement sur d'autres plans que celui de l'amour.

Une harmonie dans la façon de penser tout autant qu'un attachement affectif profond et un énorme respect l'un pour l'autre nous relient à jamais. Enfin, j'ose le croire... et les mois qui viennent de s'écouler me le confirment.

J'ai lu quelque part que passer à côté de la passion, c'est comme passer à côté de la découverte de soi. Je fais mienne cette théorie qui vient jeter un peu de lumière sur le changement de cap que j'ai fait subir à ma vie en épousant Jean-Michel de Bigault de Cazanove, le 18 juin 1994. L'intimité qui entoure notre mariage, je tiens à la conserver intacte, mais je ressens le besoin d'expliquer mon geste. On ne modi-

fie pas ainsi la trajectoire d'une vie heureuse et comblée sans remettre en question toutes les valeurs qui
en sont les fondements.

J'ai beaucoup de peine à vivre dans le désordre.
Une armoire bien rangée tout autant qu'un lit impec-
cablement fait avant de partir le matin me prédispo-
sent au travail. Il en est de même de ma vie émotive.
J'ai besoin d'analyser, de comprendre, de clarifier les
mouvements de mon âme pour être capable de les
mettre en perspective et me laisser aller ensuite. J'ai
une spontanéité réfléchie... belle contradiction.

Les mois qui précèdent ce jour capital sont dé-
chirants à plusieurs titres. Pour ceux qui connaissent
ma nature fonceuse et bousculante, je n'ai pas besoin
de m'étendre sur les bémols que j'ai dû mettre à mes
élans habituels. Ma mère m'y a sûrement aidée, elle
est toujours là.

La ferme des Cantons de l'Est, la maison pièce sur pièce à rénover et la grange située à l'arrière. Pierre, « le libraire », et moi connaissons les hauts et les bas de la vie commune pendant dix ans.

Je n'ai pas beaucoup travaillé au cinéma. À ce jour, je n'y ai tenu qu'un seul rôle important, celui de « Marie de l'Incarnation » dans un film pour le petit écran. En compagnie d'Hélène Lasnier et de Jacques Tourangeau.

En 1985, Guy Fournier et moi lors du gala Métrostar.
Une grande partie de notre quotidien, pendant ces années, se retrouve à la
une des journaux. Peut-il en être autrement ? Nous vivons à cent à l'heure
et j'apprends grâce à lui à rayer le mot « impossible » de mon vocabulaire.

Nous connaissons des hauts et des bas au baromètre du bonheur,
mais jamais rien d'uniforme ni de plat.

Notre arrivée au banquet
marquant la nomination
de Madame Jeanne Sauvé
au poste de gouverneur
général du Canada.

Le bal du Musée des Beaux-Arts de Montréal, en septembre 1992.

Des Fournier, un patronyme fréquent en France.
J'ai tenu à immortaliser l'instant.

Chapitre 5

L'UNION, QU'EST-CE QUE ÇA DONNE ?

Mon passage à l'Union des artistes constitue une des plus belles expériences de ma vie. Une des plus difficiles aussi. Je suis demeurée à la tête du conseil d'administration de ce syndicat pendant huit ans. Ce serait à refaire, je crois que je m'abstiendrais. Pourtant, j'y ai vécu de très bons moments et en faire le décompte est impossible. Les plaies sont cependant longues à se cicatriser.

Encore une fois, tout a commencé par hasard. Là, pas plus qu'ailleurs, je n'ai prévu ni voulu un engagement, surtout pas à si long terme.

L'heure est grave et il faut que l'Union agisse. Radio-Québec ayant refusé à l'UdA une entente collective, les membres ont cessé de travailler depuis plusieurs mois. Seuls demeurent les permanents de la Société. La grève perdure et les négociations sont rompues sans espoir de reprise à l'horizon. Quelques manifestations ont été organisées, sans résultat. Les permanents continuent d'assurer la diffusion des émissions, mais les contractuels se plaignent.

Une assemblée générale de l'Union des artistes est annoncée pour discuter des moyens à prendre pour forcer Radio-Québec à renouer le dialogue. Je suis membre de l'Union depuis peu et j'assiste à cette assemblée.

Une marche de piquetage devant Radio-Québec est proposée. Il faut déléguer quelqu'un pour s'occuper d'organiser la manifestation. Le nom de Catherine Bégin est suggéré, mais tout en se disant disponible pour aider le comité mis en place, elle ne désire pas le prendre en charge. D'autres, comme elle, refusent. Timidement, je lève la main :

— S'il n'y a personne pour le faire, je peux m'en occuper !

J'ai peu de travail, beaucoup de temps libre et une énergie qui ne demande qu'à être dépensée.

Ce n'est qu'à mon retour à la maison, le soir même, que je réalise pleinement les implications découlant de cette acceptation. J'ai à mettre sur pieds, en quelques jours, un événement coup d'éclat, qui devrait permettre à l'Union de sortir de cette impasse. Grosse tâche pour quelqu'un qui connaît très peu son syndicat, et encore moins l'action syndicale en général.

J'en parle à mon compagnon de l'époque.

— Tu peux le faire ! me répond-il simplement, très convaincu et surtout très convaincant...

Il fait partie des gens pivots de ma vie qui me forcent à repousser toujours plus loin les barrières de mes peurs. Exemple à l'appui : il ouvre lui-même sa première librairie au début des années soixante, à une époque où ce genre de commerce a très peu d'espoir de survie. Il est aujourd'hui propriétaire de la plus grosse chaîne de librairies au Québec.

— Il faut que tu te dépasses dans la vie, il faut que tu t'impliques, que tu apprennes autre chose que ton métier. La vie ne se limite pas à ton monde artificiel.

Encore une fois, le hasard et la chance sont de mon côté. Le frère de mon compagnon est représentant syndical d'un groupe de réalisateurs à Radio-Canada. Il sera mon professeur. C'est un revendicateur né. Le seul marxiste-léniniste que j'ai eu l'honneur de côtoyer dans ma vie.

Il m'explique de long en large comment procéder. J'en prends les grandes lignes en note. Le lendemain, à l'Union, je commence par mettre sur pied un comité d'organisation avec quelques membres disposés à m'aider. Catherine Bégin, toujours volontaire pour prêter main-forte, accepte de m'épauler. Il faut toucher tous les membres même si tous ne travaillent pas à Radio-Québec et n'y travailleront peut-être jamais.

Il faut rédiger les textes, fabriquer les pancartes, tenir des « assemblées de cuisine » pour convaincre les gens, les appeler un à un pour les inviter à s'impliquer. Bref, toujours selon les bons vieux principes de ma mère, qui disait « si tu fais quelque chose, fais-le bien ! », j'y mets toutes mes énergies.

Parmi les manifestants, il y a les représentants syndicaux de l'époque, dont Gaston Blais, le secrétaire général de l'Union depuis des années. Tous me regardent faire. La manif obtient un assez gros retentissement médiatique. L'assistance est bonne, les gens sont venus en nombre et on parle du succès de l'événement.

La manifestation permet de relancer les négociations. Par un étrange concours de circonstances, tout se déroule à merveille pour ma première implication syndicale. Pour couronner le tout, le conflit prend fin peu de temps après. Ma minime participation y est peut-être pour quelque chose.

Nous sommes en 1974, Lise Payette siège au conseil d'administration de l'UdA. Pour des raisons de surplus de travail, sa disponibilité est plutôt restreinte. Elle demande à être remplacée.

Comme il est prévu dans les statuts, on doit coopter quelqu'un pour remplacer le membre démissionnaire. Mon nom est soumis, accepté par le conseil et me voici catapultée pour terminer le mandat de celle-ci. Il reste plus d'un an avant les prochaines élections.

On me nomme à certains comités et, de fil en aiguille, sur le tas comme on dit, j'apprends à mieux connaître les rouages de l'UdA. Étant donné que je ne travaille que périodiquement pour le moment, j'ai du temps à y consacrer et je m'y donne à fond. Comme il arrive souvent dans les organismes où on doit faire appel au bénévolat, les limites des demandes sont sans fin quand le bénévole est disponible. Et c'est mon cas. De plus, la stimulation intellectuelle provoquée par la connaissance de plus en plus approfondie des divers aspects tant syndicaux que culturels et professionnels de mon milieu de travail me passionne.

Pendant le cours de cette cooptation, un mouvement se soulève pour déloger Robert Rivard, le président de l'époque, avant la fin de son mandat. « Ça joue dur », comme on dit populairement. Je m'intègre au groupe qui réclame le départ du président. Non seulement doit-on travailler pour convaincre les membres du bien-fondé de ce départ prématuré, mais on doit également préparer la venue d'un remplaçant. Assemblées de cuisine, démarches de sensibilisation auprès des membres non impliqués dans la vie syndicale, entreprise de séduction pour vendre notre « candidat idéal », je m'implique dans tout.

Un nouveau président, Jean Brousseau, est élu ; malheureusement, il ne fait pas l'unanimité lui non plus. À l'époque, les assemblées de l'Union sont souvent houleuses. D'un côté, il y a les jeunes artistes aux idées bien définies ; à l'autre extrémité, les plus vieux qui ont les leurs, tout aussi bien définies, et, pris en sandwich entre les deux, ceux dont les opinions balancent avec le vent. Les idéologies s'affrontent souvent de manière très radicale.

Le mandat douloureux et très court de ce nouveau président se termine quatorze mois plus tard. Comme il arrive souvent dans ce genre de coup d'éclat provoqué, tout le monde y perd des plumes. Avec le recul, il m'arrive de penser à la douleur que j'ai pu causer, autant à la personne qu'on a évincée qu'à celle qu'on a fait élire dans de telles circonstances, et pour une tâche vouée à l'échec. Mais, dans le feu de l'action, on perd malheureusement de vue les êtres que l'on blesse au passage.

Des factions se créent à l'intérieur de l'Union des artistes. Robert Rivard se représente à nouveau à la présidence. Le moins que l'on puisse dire de cet homme, c'est qu'il a toujours voulu servir. Même si son goût du pouvoir a parfois brouillé sa vision.

Je m'intègre à une formation présidée par Yvon Thiboutot où on m'incite à briguer le poste de vice-présidente. Le vote a lieu et le résultat est pour le moins symptomatique des divergences qui secouent le syndicat. Les membres élisent un candidat de chaque partie en alternance aux différents postes de l'exécutif. Robert Rivard redevient président et moi je suis élue vice-présidente. Le conseil d'administration est donc constitué presque pour moitié-moitié des deux parties en lice. Ce qui n'est vraiment pas banal ! Je n'envisage un poste à l'exécutif que pour autant que quelqu'un de solide comme Yvon Thiboutot puisse m'appuyer. Je ne me suis embarquée dans cette galère qu'à cette condition. J'appelle Yvon :

— Je ne peux pas occuper ce poste, lui dis-je, complètement abasourdie par le résultat du vote. Je n'y connais rien, si ce n'est le peu appris au cours de la dernière année !

— C'est impossible que tu démissionnes, me rétorque-t-il. Démissionner dans la vie, ça veut dire lâcher. Tu n'as pas le droit de faire ça ! Je t'aiderai de loin.

Malgré son échec personnel, Yvon fait partie de ces êtres d'exception qui ne perdent jamais de vue l'idéal collectif. Je lui saurai gré toute ma vie de sa générosité.

Même son de cloche quand je rentre à la maison. Mon compagnon formule un discours à peu près similaire :

— C'est toi qui l'as voulu, maintenant tu ne peux plus lâcher ! Vas-y, fonce !

On me conseille de foncer, c'est ce que je fais. Robert Rivard non plus ne tergiverse pas. Pour lui, puisque c'est ce que les membres ont décidé, il faut assumer. Nous faisons donc nos deux ans de mandat côte à côte, le pro et la néophyte. Forts de l'expérience commune, nous récidivons et sommes réélus pour un second mandat, en 1979.

Ennemis hier, nous travaillons côte à côte. La vie utilise parfois des détours étonnants pour nous amener vers la tolérance.

— Nous sommes assez forts maintenant, nous pouvons faire élire tout un groupe. Tu te présentes à la présidence ! me disent mes coéquipiers et certains membres.

Chose dite, chose faite. Et c'est ainsi que je me retrouve à la présidence de l'Union, une première fois. Notre groupe, « Le Renouveau syndical », est élu en bloc. Nous ferons ainsi deux mandats à la tête de l'Union.

Je ne suis pas la première femme à avoir tenu les rênes de l'UdA. Mia Riddez m'y a précédée dans les années cinquante. Mais la jeune trentaine que j'ai à l'époque aurait pu me nuire et freiner mon ascension. Nouveau coup de pouce du destin, mon arrivée à l'UdA s'inscrit parfaitement dans la montée des mouvements féministes des années soixante-dix. Je bénéficie d'un préjugé favorable vis-à-vis des femmes, à l'intérieur d'un milieu où les tabous sont peu nombreux en plus.

Le Canada étant membre de la Fédération internationale des acteurs, cela me permet de participer à des événements d'envergure. À titre d'exemples : aux négociations avec la France en ce qui a trait au doublage, à des réunions internationales pour décider de l'aide à apporter aux artistes de pays totalitaires, comme c'est le cas en Argentine et au Chili à cette époque. Je participe aussi à des négociations syndicales avec nos vis-à-vis du Canada anglais, et même des États-Unis. Je découvre l'ex-URSS, la Hongrie, le Danemark, l'Angleterre, et l'Ouest canadien.

Tout cela est riche d'expérience et d'apprentissage. Je me plonge dans la procédure juridique, pour en maîtriser les règles. J'apprivoise les relations avec les ministres et intervenants gouvernementaux de la culture et des communications. Cela constitue pour moi une ouverture sur le monde de la politique qui m'était jusque-là totalement étranger.

Cette expérience syndicale me rend aussi plus confiante en moi-même. D'être ainsi confrontée jour après jour aux difficultés de survie de ma communauté me fait perdre de vue mes appréhensions personnelles face au métier ou, à tout le moins, me permet de les relativiser.

J'apprends à concilier deux mots au départ anti-nomiques : artiste et argent. Apprendre à négocier pour la collectivité, cela devient un atout pour soi-même dans les relations avec les producteurs. Je ne l'ai réalisé qu'après coup.

Comme toute médaille a un revers, je ne peux faire le bilan de ces presque dix ans de vie syndicale sans parler des brassages émotifs profonds que j'y vis et auxquels je ne suis pas nécessairement préparée.

Tout candidat à un poste électif apprend rapide-ment à se faire une carapace contre les attaques de l'adversaire. Dès le jour de son élection ou presque, il devient l'ennemi de ses propres *supporters,* celui qui ne remplit pas ses promesses assez vite. L'état de grâce est souvent de courte durée. Je vis cette expérience de la contestation et de la confrontation dans la dou-leur.

Malgré tout, je récidive et sollicite un second mandat. Peut-être suis-je un peu masochiste ? Je quitte l'Union volontairement, en 1983, mais dans le tu-multe. Au moment de mon départ, avec le conseil d'administration, nous projetons de transformer l'Union, d'association professionnelle qu'elle est, en véritable syndicat, ceci en modifiant les statuts. Le projet est rejeté en bloc par l'assemblée générale. L'échec cuisant que nous essuyons, je prendrai des mois à m'en remettre. Mon départ volontaire vient tout à coup de se transformer en rejet d'un projet qui me tient à cœur et ma fierté en prend un coup. Le groupe qui se présente pour prendre ma relève est lui aussi rejeté en bloc. Quelle douleur !

Avec le temps, la paix a fait place au tumulte intérieur et je suis plus en mesure d'analyser les raisons de cet échec. C'est utopique de croire que l'Union puisse devenir un véritable syndicat. Bien sûr, il s'agit d'un regroupement constitué pour la défense d'intérêts professionnels communs, mais, une fois les conditions de base du travail et le cachet minimal établis, tout le reste du pouvoir de négociation relève de l'artiste lui-même. Ce pouvoir est en relation directe avec le statut que chacun atteint, à la fois grâce à son travail, à son talent, à l'affection que le public lui voue et à la multiplicité de ses engagements. Qu'on le veuille ou non, l'artiste est unique par son essence et se doit de cultiver son unicité pour se démarquer des autres. On travaille tous ensemble et chacun pour soi. On est constamment en compétition avec les autres, et « que le meilleur gagne ! » Est-il possible de couler dans un même moule des personnes qui font justement carrière grâce à leurs différences et à leurs particularités individuelles ?

Dans les mauvais comme dans les bons coups, mon passage à l'Union des artistes me fait grandir. Deux mentors me balisent le chemin et refrènent ma nature fougueuse. Ils m'auront évité bien des faux pas. Gaston Blais, qui m'initie à l'art de la négociation et m'ouvre tout grand les tiroirs de ses connaissances syndicales acquises au cours d'une longue pratique. Yvon Thiboutot, qui m'apprend à rester calme dans la tourmente et me donne de si précieuses leçons de patience, moi qui en ai si peu. Mon plus précieux cadeau : son amitié indéfectible. Après réflexion, je me dis que sans l'Union des artistes, je ne serais sûrement pas la même !

L'expérience syndicale me rend plus confiante en moi-même. En compagnie de Lionel Villeneuve.

Yvon Thiboutot m'apprend à rester calme dans la tourmente et me donne de précieuses leçons de patience, sans compter le cadeau de son amitié indéfectible. Lors de mon « Bien cuit », les rôtisseurs, de gauche à droite : Michel Beaudry, Guy Fournier, Marie-Michèle Desrosiers, Yvon Thiboutot et Serge Grenier.

Impliquée dans le milieu syndical, je le suis également auprès de divers organismes, notamment de la Société canadienne de zoothérapie. Ici, en compagnie de la présidente-fondatrice, Caroline Bouchard.

J'ai également animé plusieurs galas, concerts, etc. J'ai été la présentatrice d'un concert au Centre d'Art de Sainte-Adèle. On m'y voit en compagnie, entre autres, de Guy Fournier, Pierre Péladeau et du père Marcel de la Sablonnière.

Au Danemark, lors du congrès de la Fédération internationale des acteurs. Aux côtés de Guy Fournier et d'un représentant suédois.

Je prononce un discours devant
un aréopage de linguistes lors
d'un congrès, dans l'île anglo-
normande de Jersey.

Chapitre 6

ENTRACTES

1969 – Rien de bien passionnant sous le soleil. Mon prince m'écrit de moins en moins. Il me réitère que l'attente sera longue... même indéfinie. Des lettres qui donnent peu d'espoir. Ma fureur de vivre et l'envie que j'ai d'exister par moi-même m'incitent à rompre. Peut-être pour provoquer une réaction subite de sa part. C'est bien mal le connaître.

Je range, dans une petite boîte de carton, les bijoux qu'il m'a offerts pour nos fiançailles, j'y joins une lettre de rupture et j'attends...

La réponse est brève comme un accusé de réception. Je n'ose en faire l'analyse, les conclusions peuvent me blesser un peu trop profondément. Seul point positif, il me joint son numéro de téléphone au travail, au cas où...

Je transcris le numéro dans mon répertoire et je décide de mettre un point final à cette histoire trop belle pour être vraie. Entretenir de faux espoirs me semble du temps perdu. Mieux vaut consacrer mes énergies à bâtir. Si ce n'est pas une vie privée, ce sera une carrière.

Je fais part de ma décision à Juliette, sans ménagement... On a intérêt à dire les mauvaises nouvelles rapidement, elles font moins mal. Quelques mois plus tard, je rencontre « l'homme » et je quitte la maison familiale.

Ma pauvre mère ! Je lui ai évité une crise d'adolescence, mais je lui assène coup sur coup deux chocs qui auraient terrassé n'importe qui. Mais elle est « faite forte » !

1973 – Projet de voyage à trois en Espagne. Mon compagnon et moi décidons d'aller y rejoindre sa mère pour quelque deux semaines. Coup de théâtre ! Un mois avant le départ, il succombe à un voilier « 470 » présenté dans le cadre du Salon nautique. Adieu économies ! Si je veux partir, je dois le faire seule. Qu'à cela ne tienne, ça ne sera pas la première fois et puis... sa mère m'attend !

Petite provocation de dernière minute, l'Espagne est proche du sud-ouest de la France, pourquoi ne pas y faire un détour ? Question de vérifier ce qu'est devenu le « prince » au cours des quatre années écoulées. « L'homme » n'est pas jaloux et me conforte dans mon projet. J'ose composer le numéro de téléphone du carnet, sans raison bien précise. Tout au plus un peu de curiosité. « Venez, ça me fera plaisir de vous accueillir et de vous faire connaître mon coin de pays », est la réponse.

Un petit aéronef d'une cinquantaine de places fait la navette entre Madrid et San Sebastian, ville frontalière entre l'Espagne et la France. Arrivée la veille du Québec, ma première journée dans la capitale espagnole se termine par un repas léger pris en solitaire à la salle à manger de mon hôtel et un coucher hâtif. Je me fais aborder trois fois de suite par le même homme sur l'artère principale de la ville, je n'ai aucune envie de m'exposer au danger à la nuit tombée. Ça commence mal un séjour. Je ne suis jamais retournée en Espagne.

Le lendemain, jour du départ vers la France, ça se poursuit aussi mal. L'avion reste collé au sol avec ses cinquante passagers à bord sous un soleil de plomb pendant plus de deux heures à cause d'un ennui mécanique. Mince consolation que le jus d'orange en sachet qu'on nous offre. Je trouve ça trop sucré ! Tout le monde gueule, mais moi j'espère... Quoi ? Je ne saurais le dire !

Je débarque enfin à San Sebastian pour y retrouver le « prince » d'il y a quatre ans. Un peu plus taciturne peut-être... Pendant quatre jours, je découvre Mont-de-Marsan, son arène, ses corridas. Je mange mes premières asperges blanches sous ses directives et à la façon locale. On glisse un bout de pain sous l'assiette dans laquelle on verse un peu de vinaigrette. Celle-ci se trouve concentrée dans la partie basse de l'assiette, on peut y tremper l'asperge tête première en la tournant et en tenant l'extrémité bien en main pour porter la pointe à la bouche. Il n'est pas question de manger le centimètre et demi du légume qui a séjourné entre les doigts. C'est trop filandreux.

Quatre jours de découvertes et de rencontres dont une, « la famille Dahan », que je reverrai vingt-quatre ans plus tard ! On n'est pas « sorteux », dirait-on ici. Je lui dis tout sur ma vie. Je n'en apprends pas beaucoup plus sur la sienne. Ma mère m'a toujours prévenue contre la curiosité malsaine et le voyeurisme. J'en garde une manie de la discrétion qui frise parfois la stupidité !

Je reprends l'avion pour l'Espagne avec mon petit bonheur et beaucoup de nostalgie au cœur. Je sais qu'il a un fils, une femme dont il vit séparé, et une vie professionnelle remplie... Pourquoi suis-je allée le voir ?

1980 – Je viens tout juste de retrouver ma liberté, après dix ans de vie de couple. Je suis à Paris en mission pour l'Union des artistes. Principal objectif : obtenir une ouverture du syndicat français des artistes pour nous céder des champs de travail en doublage. Négociations toujours en cours au moment présent. La France est longue à céder, n'est-ce pas ?

Au mi-temps de la semaine, en pleine grève du métro parisien qui retarde de deux heures notre retour à l'hôtel à cause de la pluie et de la pénurie de taxis, je pense soudain à lui. Question de vérifier où il en est de sa vie et peut-être de lui parler de la mienne. On ne sait jamais. Je compose son numéro.

Quarante-huit heures plus tard, nous sommes assis face à face à la brasserie Lorraine de la Place des Ternes. Je commande des asperges, en souvenir. Il est brusque, taciturne, pas bien dans sa peau. Je le prends au beau milieu d'un divorce qui se passe plutôt mal.

Les nombreuses années écoulées depuis la séparation de corps n'ont pas adouci les blessures, au contraire. Dans son cas, elles sont encore à vif. Ses réflexions sur les femmes me retiennent de lui parler de ma liberté personnelle. L'instinct me dicte de passer mon chemin. Il m'a toujours bien guidée, je l'écoute !

En 1973, projet de voyage en Espagne. Coup de théâtre ! Un mois avant le départ, « le libraire » succombe à un voilier « 470 » présenté dans le cadre du Salon nautique. Adieu économies !

Chapitre 7

UN CERTAIN GOÛT D'ANIMER

Se rattacher à la vraie vie, se remettre les deux pieds sur terre, ça sert à ça, l'animation à la radio. Je n'en savais rien en m'y dirigeant mais, très vite, ça m'a frappée de plein fouet.

Pour le moment, je coule des jours heureux, en naviguant entre la scène et la télévision. J'amorce la trentaine par un défi de taille, jouer en anglais la pièce de Michel Garneau, *Quatre à Quatre,* au Saidye Bronfman Center. Une pièce qui raconte la vie de quatre générations de femmes d'une même famille. L'arrière-grand-mère, la grand-mère, la mère se remémorent leur passé et en font le bilan au profit de la plus jeune, afin de lui éviter des erreurs et des faux pas.

L'extrême rigueur du travail en milieu anglophone, l'absence de points de repère linguistiques, le trac de jouer devant un public différent, tout cela est générateur d'une ferveur nouvelle qui augure bien pour le cap d'âge que je suis en train de passer. Les dix ans qui vont suivre filent comme l'éclair. Parmi ces bons moments, un arrêt au Rideau-Vert pour jouer *Un lion en hiver* ; j'y côtoie deux monstres sacrés aujourd'hui disparus, Yvette Brind'amour et Guy Hoffmann et je sers de souffre-douleur aux trois jeunes acteurs en route vers le succès que sont Michel Dumont, Jean Leclerc et Daniel Gadouas. Leur présence sur scène étant en alternance avec la mienne, ils occupent leur temps à me jouer des tours, à subtiliser mes accessoires et à me les remettre à l'ultime moment d'entrer en scène, à coudre les manches de ma robe, mais tout cela n'est rien à côté du tour de force d'un certain soir : changer ma loge de place trois fois pendant la représentation.

Le rôle de « Madeleine », dans la pièce *Du poil aux pattes comme les CWACS*, s'inscrit également dans les moments à retenir, et ce à plus d'un titre. C'est la deuxième pièce de Maryse Pelletier, la première étant *À qui le p'tit cœur après 9 h 1/2*, dans laquelle il m'est offert de jouer. Sa connaissance des femmes et l'analyse qu'elle en fait me conviennent et s'accordent avec ma pensée sur le sujet.

Le metteur en scène de cette création, Claude Jutra, est un monstre sacré du cinéma québécois. Je meurs d'envie de le connaître. C'est malheureusement son dernier travail au théâtre car il meurt moins de deux ans plus tard dans les circonstances tragiques que l'on sait. Après un très gros succès au Théâtre d'Aujourd'hui, la pièce est reprise par Marjolaine Hébert à son adorable théâtre d'été d'Eastman (j'ai toujours rêvé d'y jouer, enfin j'y suis !) et puis en tournée à travers le Québec pendant plusieurs mois. C'est rare, chez nous, d'avoir la chance d'exploiter un rôle à fond et sur une aussi longue période. Sans renier les satisfactions professionnelles que « Madeleine » m'a procurées, je ne peux passer sous silence les liens d'affection indéfectibles que cette production m'a permis de lier ou d'approfondir. Avec Maryse d'abord, une femme de mon temps et dont j'admire le courage. Formée comme comédienne, elle effectue une transition vers l'écriture qui change sa vie. Avec Daniel Roussel qui accepte de monter la deuxième version de la pièce et nous emmène encore plus loin dans l'approfondissement des personnages. Nos diverses collaborations professionnelles n'auront de cesse que sceller une amitié née il y a plusieurs années grâce à Andrée St-Laurent. Que ce soit dans *Le Tournant,* de Françoise Dorin, au Rideau Vert, dans *Tout dans le jardin,* d'Edward Albee, à la Compagnie Jean-Duceppe ou encore dans *L'amour ou la vie,* une pièce de Guy Fournier que nous avons le bonheur de créer ensemble. Le rôle de « France » absorbe toutes mes pensées et je ne réalise pas l'ampleur de la démarche « diplomatique » à laquelle Daniel doit se soumettre pour donner vie à une pièce écrite par Guy, mon compagnon, avec moi dans un des rôles principaux, en y mettant sa touche personnelle et en ménageant tous les « egos » au passage. Daniel mène le bateau à bon port sans écorcher notre amitié. Peut-être Andrée

Saint-Laurent surveille-t-elle tout ça d'en haut ? Et finalement, avec Marie-Michèle Desrosiers et Évelyne Régimbald, deux filles que je connais et à qui je m'attache grâce à cette production.

Flanquée à ma droite de « Marie la Douceur » et, à ma gauche, « d'Évelyne la Tornade », je fais les quatre cents coups à travers la province dans les bars et les discothèques où on allait s'éclater après les représentations. On a le trac ensemble mais on rit aussi beaucoup ensemble. On se connaît en long, en large et en travers et son s'aime beaucoup... pour longtemps j'espère.

Je m'en voudrais d'oublier quelqu'un qui m'a fait cadeau de quatre rôles importants et qui ne m'a jamais mise au rancart malgré certains refus de ma part : Gilbert Lepage. Après m'avoir dirigée dans *À qui le p'tit cœur après 9 h 1/2,* il récidive dans deux créations de Jean-Raymond Marcoux, *La Grande Opération,* au bateau-théâtre l'Escale (reprise ensuite à la Compagnie Jean-Duceppe et en tournée), et *Les Baleines,* au Théâtre d'Aujourd'hui, sans compter le rôle de « Mme Prentiss » dans *Les Fiancés de l'armoire à linge,* de Joe Orton, qu'il m'offre de jouer à l'Escale (dont il assume la direction artistique), mis en scène cette fois par Claude Maher. Gilbert, c'est le calme incarné, le sourire à peine perceptible, l'humour acide et la poigne solide pour mener l'acteur vers le but à atteindre. Une stature imposante qui inspire le respect et donne envie de s'y appuyer.

Long détour pour parler de ma bifurcation vers l'animation, mais qui en explique les raisons. Le temps passe vite, la quarantaine pointe son nez. D'émissions de télévision en pièces de théâtre, je sens un certain essoufflement. Le besoin de me ressourcer pour ne pas m'enliser et l'envie de relever d'autres défis me taraudent. J'ai la bougeotte.

Je frappe aux portes, c'est toujours plus facile quand on a une réputation qui nous précède. CJMS m'accueille en son sein. À la tête de cette station de radio en restructuration, Paul-Émile Beaulne et Raynald Brière osent me faire confiance. Je viens d'entrer dans la fosse aux lions, et j'y reste six ans.

Milieu d'hommes où la place pour les états d'âme est absente, le monde de la radio me fait descendre aux tréfonds du découragement comme il me mène aux joies les plus intenses. La radio, c'est comme monter à bord de montagnes russes et n'en redescendre que quelques jours entre les sondages ou pendant les vacances de notre *boss* Raynald. Directeur des programmes à la poigne de fer, il mène son monde à la baguette et nous garde toujours à l'œil. C'est une dynamo et, pour lui, le meilleur est toujours à venir. Une discipline de fer et une tête de « cochon » pire que la mienne, ce qui n'est pas peu dire ! Il me pousse aux limites de l'impudeur en me forçant, le mot n'est pas trop fort, à faire *Questions de vie*.

Cette émission-témoignage fait école et essaime tant à la télévision (Claire Lamarche, à TM, en est l'exemple) que dans d'autres stations de radio. Raynald Brière me fait pleurer, rire, m'enrage, mais jamais il ne me laisse indifférente. Il a une grosse part de responsabilité dans l'intimité et l'affection qui s'instal-

lent entre le public et moi grâce à cette émission ligne ouverte qui nous emmène à échanger sur la vraie
vie, sujet inépuisable.

Malgré l'aspect spontané du résultat en ondes,
Questions de vie est le fruit d'un travail d'équipe où la
part dévolue aux recherchistes n'est pas la moindre et
demeure malheureusement souvent dans l'ombre. Sur
ce point, Raynald ne lésine pas et j'hérite de la crème.
En commençant par la dernière en liste qui a fait ses
classes avec Pierre Pascau, Marguerite Arsenault, en
passant par Chantal Cauchy, qui dès sa sortie de l'université se voit confier l'assistance de Claude Poirier,
en terminant par la seule et unique Sylvia Côté. Un
bulldozer cette fille, tranchante comme un couperet
mais belle comme la vie. Elle chemine à mes côtés
depuis ce moment et sert, dans le plus grand secret,
de directrice de la logistique et d'organisatrice en chef
de mon mariage célébré à Paris le 18 juin 1994. Je
m'en voudrais de passer sous silence les deux délé-
gués occasionnels du patron qui essuient souvent mes
sautes d'humeur à sa place : mon amie Diane
Massicotte qui vit désormais son bel amour à Toronto
et avec qui j'ai la grande majorité de mes conversations par télécopieur, ainsi que Charles Benoît,
aujourd'hui directeur des programmes à CKMF, et
surtout papa de deux enfants.

Questions de vie, c'est plus qu'une aventure professionnelle. On ne peut pas, jour après jour, interro-
ger et faire témoigner les auditeurs sur leur vécu, les
amener à lever le voile sur les aspects les plus intimes
de leur vie sans être soi-même impudique. Petit à

petit, au fil des jours, je transcende l'animatrice. Je suis moi qui vis, moi qui parle, moi qui m'introspecte et non plus l'image de moi-même. Je n'ai de choix autre que de me révéler au naturel car je découvre que c'est la plus sûre façon d'attirer les confidences. But visé par l'émission.

Il n'y a plus aucune place pour la fausseté, la frime ou le mensonge dans ce genre d'exercice. Les tricheurs sont démasqués dans la minute. Les intonations, le vocabulaire sonnent faux à partir du moment où ils ne s'appuient plus sur la vérité d'une démarche personnelle.

Je répugne à m'embarquer dans l'aventure, compte tenu de la mauvaise réputation des émissions ligne ouverte. Mais, une fois engagée, ça devient une drogue. Aucun sujet ne me rebute. Je me laisse porter par la richesse des personnes qui témoignent. L'être humain possède en lui-même les ressources pour se sortir de n'importe quelle situation aussi désastreuse soit-elle. Les gens me racontent leur vie avec une telle générosité que je me prends à leur livrer mes états d'âme sans retenue. L'échange est tel que la perception que les gens ont de moi ne sera plus jamais la même. Ils apprivoisent la femme alors qu'ils ne connaissaient que l'artiste.

Je développe, grâce à la radio, une oreille bionique. Je peux déceler, après quelques mots seulement, la vulnérabilité ou la force des gens qui me parlent. Je suis moi-même en thérapie sans m'en rendre compte et je la vis au grand jour. Je ne serai plus jamais la même.

Après avoir touché à l'animation, l'envie d'y revenir et d'aller plus loin est ancrée en moi. Le contrôle qu'on a sur la démarche d'exécution et le résultat
final est assez grisant. De la radio à la télé, le pas se
franchit avec *Les Carnets de Louise,* à Télévision
Quatre Saisons.

De nombreuses « premières » dans ce projet. De
quoi faire peur, mais aussi stimuler. L'émission entre
en ondes en même temps que Télévision Quatre
Saisons. La maison Coscient, productrice de l'émission, vient de s'installer à Montréal et la moitié de
l'équipe n'a jamais travaillé en télévision. Qu'à cela ne
tienne, les talents de rassembleur de Laurent Gau-
drault, notre producteur, et la ferveur de Céline Belley, son bras droit, posent les assises de ce qui est un
des premiers succès de la nouvelle chaîne de télévision.

Les Carnets de Louise est un concept original, fruit
de longs moments de réflexion et du travail d'analyse
de toute l'équipe, semaine après semaine. Objectif
premier : sur le mode de la confidence, je dois amener des artistes, des hommes et des femmes du monde
des affaires ou de la politique à me faire part de leurs
intérêts, en apparence superficiels, envers la vie, la
mode, leurs goûts vestimentaires, la décoration, leurs
loisirs, leurs dadas, la nourriture, etc. Objectif second : tout ce qu'on présente à l'écran, *live* ou *clips,*
doit être beau et raffiné (sinon dans son essence, du
moins dans sa présentation), en commençant, bien
sûr, par l'animatrice.

À tour de rôle, Jacques Le Pelletier et Jean Bégin,
deux artistes du maquillage, assument la double tâ-

che de magnifier mon visage et de calmer mes appréhensions et celles de mes invités. En ce qui concerne l'« élégance » du plateau, cette tâche est assumée par la plus rigoureuse des femmes de ménage en ville. Pas un verre de polystyrène ni un mégot de cigarette n'échappe à l'œil de lynx de Manon Desmarais.

Je fais mes plus belles découvertes d'hommes et de femmes grâce au travail de deux filles qui s'incrustent dans ma vie par la suite pour mon plus grand bonheur : Danielle Doyon, ma recherchiste qui peut faire parler une tombe en lui donnant l'impression qu'elle n'a rien entendu, mais qui se souvient de tout. Du tact et du doigté comme elle en a, ça fait peur. Son flair, tout autant que son sens de l'écoute, nous permettent pendant trois saisons de bâtir des émissions à l'image de nos invités ; et Sylvie Mayrand, la styliste responsable de tout ce qui touche à la « guenille » et à l'esthétique. « Doigt de fée », son surnom, la suivra jusqu'à la fin de ses jours. Son goût sûr et son « air de ne pas y toucher » avec lequel elle fait passer le message, la rendent précieuse pour calmer un plateau.

Toutes deux font partie du cercle restreint d'intimes qui partagent mon bonheur le jour de mon mariage.

Pendant trois ans, je m'immisce dans la vie très privée d'hommes et de femmes qui occupent le devant de la scène politique, commerciale et artistique du Québec. Je les amène à dévoiler leur intérieur, à faire part au public de leurs penchants pour tel ou tel couturier, tel ou tel style de vêtement. Leurs manies domestiques sont étalées au grand jour et ils osent avouer leurs péchés mignons. À travers le récit de leur vie, ils nous dévoilent ce que seuls leurs proches connaissent d'eux. Leurs penchants culinaires tout autant que les restaurants qu'ils fréquentent, leurs goûts en matière de décoration, toutes ces petites choses en apparence anodines qui font qu'on est soi-même et non quelqu'un d'autre. Ces petites choses qui nous distinguent du voisin et nous font sentir unique. Ils sont nombreux ces invités que je scrute à la loupe. Généreux et accessibles pour moi, la caméra et le public. Sûrement mieux aimés des gens par la suite. Ceux-ci ayant l'impression d'avoir percé le mystère personnel de l'invité. Cette approche de l'interview par les objets de consommation en dit plus sur l'être humain qu'on ne serait porté à le croire de prime abord. Entre une femme d'affaires et une avocate, les garde-robes diffèrent. L'une doit séduire son client, l'autre est tenue par son devoir de réserve. Mais toutes deux s'éclatent, souvent dans la décoration de leur intérieur ou encore dans leurs loisirs.

Questions de vie et *Les Carnets de Louise* demeurent les points forts de ma vie professionnelle en animation. Pour l'un et l'autre projet, je me suis jetée à l'eau sans filet et je ne l'ai jamais regretté.

J'amorce la trentaine par un défi de taille : jouer en anglais la pièce de Michel Garneau, *Quatre à Quatre,* au Saidye Bronfman Center. De gauche à droite : Manon Bernard, Marjolaine Hébert, Danielle Saïssa, la metteure en scène. Derrière : moi et Catherine Bégin.

C'est 1976. L'extrême rigueur du travail en milieu anglophone, l'absence de points de repère linguistiques, le trac de jouer devant un public différent, tout cela est générateur d'une ferveur nouvelle qui augure bien pour le cap d'âge que je suis en train de passer.

Le rôle de « Madeleine », dans la pièce *Du poil aux pattes comme les CWACS,* en 1981, s'inscrit également dans les moments à retenir. C'est rare, chez nous, d'avoir la chance d'exploiter un rôle à fond et sur une aussi longue période.

Flanquée de « Marie la douceur » et « d'Évelyne la tornade », je fais les quatre cents coups à travers la province. De gauche à droite : Marie-Michèle Desrosiers, Pauline Lapointe et moi. Derrière : Évelyne Régimbald et Lucie Routhier.

Photo promotionnelle pour la pièce *Je t'aime, clé en main,*
avec Jean Leclerc et Michel Rivard.

Je frappe aux portes, c'est toujours plus facile quand une réputation nous précède. CJMS m'accueille en son sein. Ici, en compagnie de Patrice L'Écuyer.

Je développe, grâce à la radio, une oreille bionique. Je peux déceler, après quelques mots seulement, la vulnérabilité ou la force des gens qui me parlent. J'interviewe Mila Mulroney, en octobre 1988.

Jean Bégin, artiste du maquillage, assume la double tâche de magnifier mon visage et de calmer mes appréhensions et celles de mes invités pour *Les Carnets de Louise*. Au premier plan, ma recherchiste Danielle Doyon, et Céline Belley des productions Coscient.

Les Carnets de Louise permettent mes plus belles découvertes d'hommes et de femmes. Entretien à bâtons rompus entre Danielle Doyon, Roger Lemelin et moi.

Avec *Les Carnets de Louise,* pendant trois ans je m'immisce dans la vie très privée d'hommes et de femmes qui occupent le devant de la scène politique, commerciale et artistique du Québec et d'ailleurs.

Avec Ginette Reno.

Jean-Luc Mongrain, bien entendu !

Monsieur Chanson en personne, Eddie Marnay.

Le plus célèbre « Rital », Claude Barzotti.

Avant d'animer dix émissions de *Journal Intime,* j'en suis moi-même l'invitée, en 1988.

Les Carnets de Louise demeurent un des points forts de ma vie professionnelle en animation. À Paris, en compagnie de Guy Fournier et de Danielle Doyon.

J'anime plusieurs événements spéciaux, dont la fête des Neiges de Montréal.

J'anime le Téléthon de la paralysie cérébrale aux côtés de Gaston L'Heureux, Serge Turgeon, Yves Corbeil et Marie-Josée Taillefer.

Chapitre 8

ENTRE L'IMAGE ET LA RÉALITÉ

J'ai toujours aimé les contacts avec le « vrai monde ». Rien ne vaut une conversation à bâtons rompus avec le boucher, le chauffeur de taxi, la femme de ménage ou la vendeuse d'un grand magasin. On en tire souvent de bonnes leçons de vie et on saisit mieux la façon dont les gens en général nous perçoivent. L'auréole tombe et la simplicité du rapport le rend d'autant plus authentique.

C'est un après-midi d'hiver, il y a quelques années. Je fais la queue au guichet de la banque. C'est jour de paye et l'attente est longue. Mais je la préfère à l'anonymat du guichet automatique. J'ai mis des années avant de me résigner à utiliser ma carte bancaire. Les rapports avec l'électronique m'angoissent et je fais partie de ceux qui craignent constamment de voir leur carte avalée par la machine. Arrive mon tour, la caissière effectue son travail en me parlant de tout et de rien, particulièrement des rigueurs de l'hiver et de l'incapacité de se payer des vacances dans le Sud quand, tout à coup, elle laisse tomber : « Mais pour vous la vie est facile, vous ne travaillez jamais, vous jouez ! » Quel choc ! Que répondre à cela sans briser l'illusion qui est la base même du métier. Pour animer ou jouer, il faut travailler fort, mais rien de cet effort ne doit transpirer. Cette impression de facilité doit demeurer, c'est le secret du succès.

« Vous avez l'air tellement naturel », c'est une phrase que j'entends souvent. Mais elle est douce à mon oreille, car c'est le but recherché : envahir un personnage de telle sorte qu'il vous envahisse lui-même par ricochet. Le public confond souvent l'être humain et le personnage quand il nous aborde dans la rue et c'est bon signe. Signe qu'on le touche et qu'il y croit.

Rester soi-même dans sa vie privée, ne pas se prendre pour une autre, c'est là que l'équilibre personnel entre en jeu. Se donner les moyens d'aller chercher, dans la « vraie vie », la nourriture qui va nous permettre d'alimenter la « fausse vie » que nous essayons de recréer jour après jour. Ne pas se perdre dans le tourbillon de folie qui entoure ce métier et par lequel il est si facile de se laisser engloutir. Rien ou à peu près rien n'est régulier dans notre travail. Les horaires de tournage varient autant que les fluctuations atmosphériques. C'est difficile souvent de s'ajuster aux autres. Aux périodes très intenses de travail de vingt heures par jour, quand on cumule théâ-

tre et télévision, peuvent succéder des trous de plusieurs semaines sans avoir rien à faire. Ces temps d'arrêt sont horribles à vivre à plus d'un titre. Comment
gérer en même temps un portefeuille d'énergie qui
grossit et un de dollars qui s'amenuise ? Comment
être bien dans sa peau quand on pense que la terre
entière nous a oubliés ? Tout cela ne s'apprend pas à
l'école de théâtre mais à l'école de la vie. C'est souvent elle qui, par sa dureté, éloigne des gens de talent
du métier pour lequel ils semblaient avoir été créés
au départ. Ou ils ne sont pas armés pour supporter la
pression des temps forts et la solitude des temps faibles, ou ils se sont laissé happer par l'apparente facilité de la vie qui entoure le métier et les mantes
religieuses qui sont toujours à l'affût d'une proie facile et vulnérable.

Vulnérables, nous le sommes tous pour faire ce
travail ; c'est sur l'autre versant de soi-même qu'il faut
apprendre à se structurer. Certains y parviennent naturellement, les chanceux, d'autres y arrivent au prix de
beaucoup d'efforts.

L'effort, un mot qui répugne, qu'on rejette en
cette fin de siècle de facilité. Tout doit arriver vite et
pour tout le monde. La société des loisirs souhaitée
par nos dirigeants politiques et promise par nos dirigeants syndicaux ne s'est malheureusement pas matérialisée pour beaucoup d'entre nous. Tout se
déglingue, on ne sait pas si on va pouvoir faire face
aux lendemains difficiles qu'on nous annonce. On
veut un Québec à nous et celui qu'on nous offre est si
peu appétissant que certaines figures de proue des

mouvements indépendantistes des années soixante-dix n'osent même plus se prononcer.

Je ne juge pas, je constate et je suis triste. Triste parce que, pour avoir des idées, pour ou contre, il faut faire un effort. Un effort de concentration pour analyser froidement la situation et un effort encore plus grand pour se retrousser les manches et se remettre au travail, chacun dans son petit coin de pays, chacun dans son petit milieu. C'est à ce seul prix qu'on remontera la cote de notre ville et de notre province. À ce seul prix qu'on retrouvera la fierté d'être ce que nous sommes, indépendantistes et fédéralistes confondus. Arrêtons de compter sur ceux qui nous dirigent, ils ont assez fait preuve d'incurie au cours des dernières années.

Je n'ai pas la prétention de m'y connaître en projet de société. Mais un rapide survol des gestes faits pour aider mon milieu de travail me donne la mesure de l'esprit visionnaire de ceux qui délient les cordons de la bourse. Bourse composée des taxes et impôts générés par notre travail à nous, citoyens de la base. On investit dans le béton et la discussion. Nommez-moi la salle de spectacles qui n'a pas reçu sa prime de rénovation au cours des dernières années ?

On construit des nouveaux studios à Radio-Québec et on réduit les budgets de production et de fonctionnement de la boîte. Combien de centaines de travailleurs et travailleuses vont payer le prix de ces coupures et se retrouver sur un marché de travail déjà saturé ?

On met sur pied un Conseil de la culture qui analyse comment distribuer des enveloppes de subventions de plus en plus minces. Et pendant ce temps, on forme de plus en plus d'artistes dans les écoles spécialisées. Des artistes de talent qui auront à jouer des coudes de plus en plus fort pour se faire une place au soleil, à redoubler d'effort, tiens, le mot qui fait peur, pour décrocher un rôle dans des productions de plus en plus réduites et de moins en moins nombreuses et, pendant ce temps, les deux yeux bien bouchés, on a l'impression que le gouvernement nous gâte.

Retroussons nos manches et retrouvons la fougue visionnaire des poètes d'autrefois si nous voulons que nos enfants vivent. Et, à tous ces jeunes dont l'enfance a baigné dans la facilité, je souhaite d'acquérir ce goût de l'effort sans lequel rien n'est possible.

Chapitre 9

DE LA SUPERFICIALITÉ
DES CHOSES

L'élégance, le goût des beaux vêtements, le raffinement des manières sont des détails de la vie qui me
séduisent. Je n'aimc pas magasiner, mais j'adore m'ha-
biller. Je me suis donc constitué un réseau de lieux
d'achats où je m'arrête à l'occasion pour voir la « mar-
chandise ».

J'achète au gré de mes impulsions et toujours
dans l'esprit d'harmoniser avec un élément de base
que je possède déjà. J'ai appris, grâce à une réflexion
de Pierre Thériault et Catherine Bégin, qui m'ont dit,
un soir où je me sentais à mon avantage : « Quel beau
kit rouge tu portes », et, dans la même foulée :
« Louise, elle a toujours des *kits* parfaits ». Autant vous
dire qu'à partir de ce jour, j'ai éliminé le *kit* de ma
garde-robe. La douche froide m'a surprise, mais pas
abattue. Les amis, ça doit servir à ça aussi.

J'ai développé mon goût à partir de moi-même et non à partir de ce que les marchands nous offrent. Je me suis appliquée à trouver un style dans lequel je me sens à l'aise. J'évite les contraintes vestimentaires qui brouillent l'esprit. Ça peut sembler futile de porter tel ou tel vêtement, pour moi ce ne l'est pas. Hormis la température, bien sûr, ce que j'ai à faire et les personnes que j'ai à rencontrer, sont les deux éléments qui président à mon choix.

Le vêtement, ce n'est pas qu'un accessoire, c'est la projection de l'état intérieur. On s'y sent bien, ça facilite la vie. On s'y sent mal, ça peut nuire. Se regarder bien objectivement dans une glace et s'orienter vers ce qui nous avantage sans se laisser influencer par une vendeuse ou un vendeur ou encore par une mode qui fait fureur, c'est le plus sûr moyen de ne pas se tromper.

En ce qui me concerne, il y a deux signes évidents d'un mauvais choix : le vêtement que je remarque, tout à coup, alors que je l'ai peu porté depuis son achat, et la manie de me regarder dans toutes les vitrines pour m'assurer que c'est bien moi qui passe. Ces vêtements-là, il vaut mieux en faire cadeau à quelqu'un qui saura en tirer profit. Là où je craque, sans aucun esprit de réflexion, c'est pour les chaussures. Aucune logique dans ma façon d'acheter. J'achète, point.

J'exerce un métier où l'apparence compte pour beaucoup. La vie m'enseigne que le corps se flétrit au rythme de l'état intérieur tout autant que de l'absence de soins à la surface. Il faut apprendre à vieillir en santé et en beauté parce que la télévision ne pardonne rien et, plus souvent qu'autrement, altère la réalité.

J'ai trouvé sur ma route un ange gardien de l'apparence : Nicole Boily. Esthéticienne de métier, elle a développé un sixième sens qui aide les gens à trouver l'harmonie entre l'être et le paraître. Elle traite la peau à partir du dedans. Rien ne lui échappe de la peine qui nous habite jusqu'au dérèglement du foie, elle le voit sur la peau...

Je ne suis pas sportive, je l'ai déjà dit. Il a bien fallu un jour que j'accepte mes inaptitudes à pratiquer tous les sports, même ceux à la mode. Sur les conseils de Sylvia, encore elle, je me suis tournée vers la technique Nadeau, il y a une bonne dizaine d'années. Pas d'équipement à acheter, pas de gymnase à fréquenter, pas d'excuses pour ne pas la pratiquer une fois qu'on a appris la technique de base et pris le rythme. Vingt minutes par jour suffisent pour savoir si on est en forme ou pas. Encore là, il faut de la discipline, comme pour l'alimentation. Rien ne vaut une diète équilibrée pour maintenir la ligne. C'est à ce seul prix qu'on minimise l'outrage des ans. À moins d'être une extraterrestre. Il faut garder la forme, le métier m'y oblige. Mais, vous savez, ça n'est pas si douloureux. On s'habitue à tout, même à certaines privations, quand on sait les transgresser à l'occasion !

Se réserver des plages pour soi, ça aide aussi à garder l'équilibre intérieur. Ne pas hésiter à profiter d'un répit dans le travail pour faire un petit roupillon sans complexe et en plein jour. Ça replace les idées ! J'adore me plonger dans un livre et n'en ressortir qu'à la toute fin, même au risque d'être ennuyeuse pour la compagnie.

Mon autre faiblesse thérapeutique, c'est le cinéma. Quand tout va mal, je n'hésite pas à programmer trois films de suite, une même journée, histoire de me changer les idées. D'une projection à l'autre, seule avec moi-même, je me laisse envahir par d'autres vies qui m'aident bien souvent à recentrer la mienne. Je trouve l'obscurité des salles de cinéma très enveloppante.

Être bien avec soi et en soi me semble toujours plus facile quand l'environnement est chaleureux. J'aime m'entourer d'objets qui ont une résonance. Je suis incapable de vivre longtemps dans un lieu sans y mettre ma touche personnelle. J'adore aménager les appartements, déplacer les meubles et les tableaux afin de les mettre en valeur. Je préfère les décors chargés aux décors dépouillés, mais le désordre m'incommode. Je ne trouve rien de plus stimulant que de me promener dans les ateliers de décoration intérieure ou encore les quincailleries à la découverte de nouveautés. Je n'ai pas à proprement parler l'instinct du propriétaire. Posséder un lieu d'habitation ou un lopin de terre ne m'excite pas outre mesure. Ce qui m'excite, c'est de marquer mon territoire, un peu comme les animaux, mais sans la notion d'exclusivité. J'aime aussi que les autres se sentent bien chez moi.

Savoir allier l'ancien et le moderne est devenu une passion au cours des dernières années. J'ai appris à coups d'essais et... d'erreurs ! Combien de mes amis ont hérité de meubles qui, loin de me déplaire, n'allaient plus dans mon décor réinventé. J'en fais de moins en moins, des erreurs du genre s'entend. Je réfléchis de plus en plus avant de procéder aux changements envisagés. Je vis entourée de souvenirs de voyages et d'œuvres d'art qui marquent des points d'orgue dans ma vie. Un regard sur un tableau et les circonstances de son achat me reviennent en mémoire. Une sculpture me ramène en Inde. Je voyage dans le monde et dans ma vie, grâce à ce qui m'entoure. Peu de choses sont là pour la simple décoration. Tout a une histoire. Imaginez mon bonheur de m'installer en France, dans une maison de plus de cent ans avec des murs et des planchers qui parlent de ces temps révolus. Une pierre grise en surface mais qui blondit au fur et à mesure qu'on la décape et qu'on la ponce. Un plaisir pour les yeux, une catastrophe pour le portefeuille et du travail pour plusieurs années.

Ça peut sembler futile de porter tel ou tel vêtement,
mais pour moi ce ne l'est pas.
Parfois, je me prends à jouer à Marilyn !

Les magasins M, dont je fus la porte-parole de 1987 à 1990, m'ont permis d'avoir une collection à mon nom !

L'année 1969 me vit tenter une expérience pour le moins inhabituelle : devenir mannequin ! Poses classiques : « Belle voiture et jolie pépée ! », comme disait Eddy Constantine (Leny Caution, pour ceux qui s'en souviennent !). En pages suivantes, d'autres photos de moi mannequin.

J'exerce un métier où l'apparence compte pour beaucoup. Photo prise par Guy Fournier en 1982.

J'ai toujours beaucoup soutenu les designers québécois ; me voici en compagnie de Jean-Claude Poitras.

Chapitre 10

HISTOIRE D'AMOUR
AVEC LE MÉTIER

Se lever à 6 h du matin, arriver à la station vers 8 h -
8 h 15, se mettre au courant de ce qui s'est passé dans
le monde depuis la veille, entrer en ondes à 9 h, la
voix claire et les idées en place, demande de la discipline, suppose un régime de vie où l'espace pour les
virées nocturnes et les soirées qui s'éternisent est réduit au minimum. Je suis à même de le constater dès
ma première saison à CJMS. Je dispose d'une énergie
hors du commun, mais ce don du ciel a des limites. Il
faut savoir en profiter, mais comme j'ai plutôt tendance à en abuser, le corps ou plutôt l'esprit a dé-
clenché un mini signal d'alarme.

Je joue dans *Les Baleines,* au Théâtre d'Aujour-
d'hui, j'anime depuis sept mois déjà, cinq jours par
semaine à CJMS, je fais *Peau de banane,* je suis porte-
parole des magasins M et de « Santé naturelle », plus

une vie personnelle qui fait son nid dans les casiers libres. Un après-midi, avant de quitter la station, Sylvia me force, le mot est faible, à prendre rendez-vous pour recevoir un massage *shiatsu*. « Ça va te détendre et te redonner de l'énergie, tu fais peur à voir », me dit-elle.

Faire peur à voir à la radio, c'est pas bien grave, si l'esprit est là c'est le plus important. C'est d'ailleurs une des beautés de la radio, pas besoin de penser à l'« image ». Mais à la télévision, c'est une autre paire de manches ! Je ne suis pas très encline à aller « perdre » une heure pour me faire tripoter. Mon temps est trop précieux, mais je cède. Pour ce qui est de la détente pendant un massage *shiatsu*, on repassera. Ça me fait tellement mal que j'en sors réveillée, prête à mordre n'importe qui. J'arrête prendre une bouchée au restaurant, pour me calmer, puis un petit roupillon (la meilleure façon de me détendre en ce qui me concerne !) sur le canapé du sous-sol du théâtre. Je suis fraîche et dispose pour la représentation. Belle salle enthousiaste, la pièce marche bien, l'auteur est là, ça stimule, et tout à coup, vers la fin de la première partie, le « blanc », ou plutôt le trou noir, je ne sais plus où j'en suis. Le pire, ça ne me panique même pas, je patauge dans le texte en essayant de retrouver le fil tant et si bien que mon partenaire, Aubert Pallascio, a l'impression qu'il est lui-même le fautif.

À l'entracte, le pauvre se confond en excuses et, dans sa mansuétude, hésite même à croire que je suis la seule et unique responsable.

Je ne mets pas longtemps à évaluer lequel, de la trop grande fatigue ou des effets du massage, doit porter le poids du délit. Le moment est venu de faire un choix, aussi douloureux soit-il. Faire mes preuves à la radio, c'est une priorité du moment, je dois donc mettre le théâtre en veilleuse. Arrêter de faire ce qu'on aime, se priver du contact direct avec le public demande une bonne dose de courage et une volonté de fer. Obligation numéro un : s'abstenir de lire les pièces qu'on nous propose. Si on enfreint cette règle de base, l'esprit se met déjà à vagabonder dans l'espace, à faire corps avec le personnage qu'on nous propose d'incarner. On a envie d'être lui et s'en détacher est une douleur. Refuser de jouer : on ne s'y habitue pas.

Je ne reviens sur scène que sept ans plus tard, dans l'euphorie mais le cœur noué et la peur au ventre, comme si c'était la première fois, avec *Lettres d'amour*.

C'est grâce à Jean Leclerc que s'effectue ce retour. Grand consommateur de théâtre lui-même et vivant aux États-Unis, il est continuellement à l'affût de tout ce qui s'y joue. Si le produit est original et accessible au public québécois, son instinct de producteur se met en action pour que le projet puisse se réaliser. Il profite parfois de l'occasion pour renouer avec les planches et le public de chez lui, marquant un temps d'arrêt dans sa carrière américaine, principalement consacrée à la télévision.

Certaines personnes sont mises sur notre chemin pour y rester. Ni malentendu ni accident de parcours ne peuvent entamer ce qui nous lie. De près ou de loin, on se devine et les montagnes russes de la vie ne parviennent à nous éloigner que temporairement.

Je fais sa connaissance à vingt ans. On se prépare au baccalauréat à temps partiel, et on fait du théâtre amateur à temps plein. On fait équipe avec un troisième larron, étudiant comme Jean, au collège Sainte-Marie. On partage un même portefeuille sans fond, pour nos repas au restaurant et nos virées dans les discothèques. On sort ensemble tous les vendredis soir. Pendant que Jean et moi évoluons sur la piste de danse, au son de la voix d'Adamo, Serge, lui, sirote son cognac (on ne boit que ça !) en observant la faune qui se presse autour du bar, pour mieux s'en moquer ensuite. La jeunesse est intransigeante et Serge plus que quiconque ! Jean et moi, on se fiance en cours de route mais, rapidement, une amitié profonde prend le dessus sur l'amour et on décide de poursuivre notre chemin séparément, mais parallèlement. Paradoxalement, la séparation nous unit pour la vie.

Avec le recul, je réalise à quel point sa présence, son oreille attentive, son soutien et ses conseils me sont précieux. Où que je sois dans le monde, dans n'importe quel fuseau horaire, je sais que je peux compter sur lui. Il sait dire les choses, les belles comme les moins belles, réprimander à l'occasion, donner le coup de pouce nécessaire pour restimuler une énergie flageolante.

Le fait que nous exercions le même métier nous a également soudés. L'ascension, nous l'avons vécue en même temps. Qu'il est précieux de pouvoir vérifier auprès d'une personne sans préjugés à notre égard le bien-fondé de la démarche entreprise. Quand le succès n'est pas au rendez-vous et que la déprime vous guette, je vous souhaite de croiser quelqu'un comme Jean qu'aucun malheur n'abat. Sa force positive vous en fera oublier vos malheurs.

Jean Leclerc ne met jamais de frein à ses rêves et c'est grâce à cette apparente folie qu'il fait carrière aux États-Unis. Encore aujourd'hui, il m'étonne par sa capacité à se servir de ses peurs pour aller toujours plus loin. Mais que de sacrifices une telle orientation de carrière lui impose !

Toujours aux aguets des nouveautés théâtrales, c'est lui qui découvre la pièce *Lettres d'amour*, à New York. Il s'empresse de la lire, mais il lui importe surtout de savoir si j'ai envie de la faire avec lui. D'une simplicité désarmante, la pièce parcourt quarante ans de la vie d'un homme et d'une femme à travers la correspondance qu'ils ont échangée. Une œuvre destinée à être lue plutôt que jouée par deux personnes assises côte à côte, à une table, face au public. Un exercice d'acteurs où il faut faire appel à sa capacité de plonger au tréfonds de son être pour en faire resurgir toutes les émotions qui marquent une vie. Pas d'artifice, rien pour troubler l'esprit du spectateur, seule la voix des protagonistes les fait voyager dans le temps, et quel voyage !

Quelque quinze ans après *Un lion en hiver*, Mercedes Palomino nous accueille à nouveau dans son théâtre et accepte de tenter cette aventure hors des sentiers battus. Découvreuse et pionnière, elle l'est toujours. Heureusement que le Québec peut compter sur des gens comme elle.

Par la suite, nous promenons *Lettres d'amour* à travers le Québec. Une tournée coulante, souple et gratifiante qui me réconcilie avec ce moyen de transporter le théâtre en région. La dernière que j'ai faite quelque dix ans auparavant s'était révélée un pur cauchemar. Cette fois-ci le bonheur est au rendez-vous. La pièce, quoique difficile, ravit les spectateurs. Soir après soir, je me laisse envahir par le parcours chaotique de « Mélissa », mon personnage. Une femme qui a tout pour réussir : beauté, argent, intelligence et talent. Déséquilibrée par un milieu familial dysfonctionnel, elle sombre peu à peu dans la folie. Une vie en dents de scie où le paroxysme du bonheur côtoie souvent la détresse la plus profonde. Les gens en redemandent. Comme la pièce prête à réflexion, nous offrons au public une période de discussion après la représentation. Nombreux sont ceux qui acceptent de jouer le jeu. Quelle mine d'or pour deux acteurs qui puisent dans ces discussions de quoi alimenter le jeu des soirs prochains. Entendre ainsi de la bouche même de ceux qui l'ont ressentie la confirmation qu'on touche les cœurs et fait vibrer les cordes sensibles de chacun, c'est sûrement ça la récompense de l'acteur.

Quel beau pays que le Québec, mais Dieu que les distances sont grandes et les routes périlleuses en hiver ! C'est lors d'une promenade dans les rues de Val d'Or, avec Jean, entre deux représentations, que me reviennent en mémoire des souvenirs de tournées. La douloureuse dont j'ai parlé plus avant m'était restée en travers de la gorge.

Je joue pour le Théâtre populaire du Québec dans la reprise de *Bienvenue aux Dames,* de Jean-Raymond Marcoux. Les tournées d'hiver sont toujours plus difficiles, à cause de notre beau climat tempéré. Le verglas succède aux tempêtes de neige et nous sillonnons la province du nord au sud, d'est en ouest à plusieurs reprises. J'en vois défiler des épinettes, à 70 km/h, en me faisant « brasser » sur les banquettes du minibus. Le jour de congé passé à Chibougamau par moins quarante degrés Celcius à magasiner pour un peignoir puisque j'ai laissé le mien suspendu derrière la porte de la salle de bains de l'hôtel Chicoutimi. Un des acteurs se fracture un pied le soir de la première et ne peut se déplacer qu'en fauteuil roulant, sur scène et dans la vie. Bref, une tournée pénible.

Mais le temps qui jette toujours un baume sur les plaies ne me laisse aujourd'hui que quelques images. Je vous les livre en vrac, elles me ravivent le cœur et me font encore sourire :

• Les yeux de Gildor Roy, acteur débutant à qui je viens d'écraser sur la figure une assiette remplie de deux œufs au miroir accompagnés de pommes rissolées et de bacon. Malgré l'accumulation des représentations, il ne s'y habitue pas ; moi non plus.

• La mise à terre du fauteuil roulant avec, à son bord, notre éclopé Marc Gélinas dans le stationnement à côté de l'hôtel de Chibougamau après la représentation. Tout le monde est fatigué, les gars en ont ras le bol de servir d'aide-infirmiers. Le terrain est en pente et complètement glacé.

En une fraction de seconde, le fauteuil s'engage dans la descente. Devant nous, à assez courte distance, c'est l'artère principale de la ville. Dans un éclair, sept paires d'yeux se regardent. Quelqu'un, que la charité chrétienne m'empêche de nommer, murmure : « On le laisse aller ? » Rassurez-vous l'idée ne fait pas l'unanimité.

- Les soirées passées dans la chambre de Jacques Calvé, le superviseur de tournée, assis dans le lit à manger des *chips* et siroter une bière devant le match de hockey.

- Les yeux langoureux de Marie-Hélène Berthiaume qui, transportée au septième ciel par des amours naissantes, n'est jamais ni tout à fait avec nous ni tout à fait ailleurs.

- Enfin, Michel Daigle qui ne monte jamais dans le minibus sans son *Journal de Québec.* Une fois le départ sonné, il nous commente les papiers des journalistes sportifs sur le match de hockey de la veille. Sûrement le cours le plus imagé de toute ma vie. J'y apprends que les pages sportives sont aussi pleines de potinages que celles de nos journaux artistiques. La vie de tournée, c'est ça... aussi !

La vie d'artiste, c'est beaucoup de temps de préparation pour une courte période de performance véritable. La vie derrière le décor, en coulisses et en salle de répétition est de loin la plus longue et la plus sujette à problèmes dans nos vies d'acteurs. C'est là que les amitiés se nouent et se dénouent, que les affinités se reconnaissent et les oppositions se manifestent.

C'est là que, sous la direction d'un metteur en scène ou d'un réalisateur, nos faiblesses sont mises à nu. L'âme qui s'expose pour toucher la vérité d'un personnage expose en même temps ses blessures personnelles tout autant que ses forces. Il suffit parfois d'un être malveillant pour en profiter. Le milieu n'est pas mauvais, certains êtres le sont. Il faut savoir les démasquer et surtout s'en éloigner au plus vite. C'est le prix de notre survie. Malheureusement, certains artistes ne possèdent pas la perspicacité nécessaire pour ce faire et n'ont pas conscience du danger qui les guette. On dit souvent que l'acteur ne joue bien que quand il met ses tripes sur la table. Quel festin pour un vampire !

Certains pensent qu'il faut être déséquilibré pour être capable de jouer. Pour jouer, peut-être, mais si on l'est à temps plein, c'est le plus sûr moyen d'aller à la catastrophe.

L'équilibre mental et physique s'avère primordial pour durer. La création dans la douleur, ça donne parfois de bons résultats, mais une vie entière dans la douleur c'est le plus sûr moyen de se voir mis de côté avec les années. À talent égal, on choisira plus facilement la personnalité souple à la personnalité caractérielle. Le travail est dur, alors personne ne veut consciemment imposer à un groupe un handicap supplémentaire. À un jeune qui a envie d'embrasser la carrière, je dis souvent que c'est en soi que l'on puise les plus grandes forces, il faut donc les avoir emmagasinées auparavant. Pour ce faire, il faut y avoir consacré des énergies. C'est payant en bout de ligne.

À vingt ans, j'obtiens mon baccalauréat ès Arts.

Photo de fiançailles entre Jean Leclerc et moi
dans le salon des grands-parents Leclerc.

Pendant les tournées, les amitiés se nouent et se dénouent. Les affinités se reconnaissent. À Québec, en 1984, avec Jean Bellemarre, Michel Létourneau et Maryse Pelletier.

Au Théâtre de Sun Valley,
dans *Lorsque l'enfant paraît*,
d'André Roussin (de gauche à droite) :
Mimi d'Estée, moi, Henri Norbert,
Louis Lalande.

Mimi d'Estée, Louis Lalande et moi.

En 1976, au Théâtre de Sun Valley, dans *Oh ! mes aïeux,*
avec un complice de longue date, Edgar Fruitier.

Dans *Oh ! mes aïeux,*
avec Louis Lalande.

L'Or et la Paille,
de Barillet et Grédy,
au Théâtre de Sun
Valley, avec Louis
Lalande.

L'Or et la Paille, avec (assis) : Louis Lalande, Henri Norbert et (debout) : Suzanne Langlois et moi !

De gauche à droite, on reconnaît : Guy Hoffmann, Marcelle Palascio, Nicole Bélisle, André Cailloux, moi et Diane Pilon. Nous jouons, en 1969-1970, *Ce soir, on improvise,* de Pirandello, au Rideau-Vert.

Chapitre 11

VOYAGEZ, VOYAGEZ !
IL EN RESTERA TOUJOURS
QUELQUE CHOSE !

D'aucuns prétendent que la passion des voyages nous vient d'une envie de fuite. Un désir profond d'échapper à la réalité quotidienne. Je ne l'ai jamais ressenti comme tel, ni au cours de la préparation d'un voyage ni au retour. Je ressens un bonheur aussi grand dans l'avant et le souvenir d'un voyage que dans sa réalisation.

Le premier remonte à ma douzième année. Voyage exotique entre tous, nous allons, ma mère, mon frère et moi, visiter Québec et la basilique Sainte-Anne-de-Beaupré. Sur une invitation de mon oncle Henri, son frère cadet, ma mère fait une entorse à son régime de vie monastique et accepte de s'évader vers la capitale pour 48 heures. Départ samedi matin à l'aube, sous la pluie, avec notre boîte à lunch. Pique-nique en route – la « 20 » n'existe pas encore sur toute sa longueur – pour une arrivée à Sainte-Anne-de-Beaupré au milieu de l'après-midi. Visite des lieux saints et de toute la quincaillerie qui les entoure et en masque la vraie raison d'être jusqu'à la faire disparaître. Souper puis coucher dans un motel du coin. Deux chambres communicantes qu'on se partage à six personnes. Ma mère, mon frère et moi dans l'une ; mon oncle Henri et sa fiancée dans l'autre, séparés par tante Madeleine qui veille à ce que l'irréparable ne se produise pas.

Le lendemain, visite de Québec, toujours sous la pluie. Après la citadelle et la vieille ville, le ciel se calme pour nous permettre de prendre quelques photos sur les plaines d'Abraham. Puis, c'est déjà le retour avec le sentiment d'être allés très loin, d'avoir exploré un coin du monde que les autres n'ont pas vu. Quand on est jeune, le bout du monde, c'est très relatif !

Ma deuxième escale : Old Orchard Beach. J'ai treize ans. Je cherche désespérément à me démarquer de mon frère cadet. Je veux ma vie à moi. Tante Madeleine, qui part rejoindre sa sœur Joséphine et son mari Gaston, qui passent rituellement un mois par année dans une petite auberge de ce coin du Maine, offre à ma mère de la libérer de moi. Elle accepte et nous entamons la période préparatoire au voyage : le magasinage dont le clou est l'achat d'un maillot de bain à culotte bouffante grâce auquel je tenterai vainement de séduire le *life guard*. Sans résultat, il va s'en dire !

Je me console en mangeant. Pizzas sur la rue principale, *hot dogs* et frites sur la plage et sandwich *pastrami* au retour de la baignade. En guise de souper, je déguste un énorme sous-marin et termine la soirée en allant seule, « pour apprendre l'anglais », me dit oncle Gaston, m'acheter un *half a pound of cherries*. Résultat de ce voyage, six mois plus tard : sept kilos de trop que je mets deux ans à perdre.

Ma troisième escale, c'est à New York, à l'âge de quinze ans, avec quelques amis. J'y partage la chambre d'un hôtel minable avec deux autres filles. Nous mangeons dans la chambre pour économiser, mais nous pouvons nous vanter d'avoir vu la statue de la Liberté, d'être montées dans l'Empire State Building et d'avoir frôlé notre seconde catastrophe du *week-end* en nous promenant cinq minutes dans Harlem. La première étant d'avoir su écarter les avances des trois gars qui nous accompagnent et se partagent la chambre voisine de la nôtre. Le plus grand de tous les dangers, selon nos mères.

L'escale suivante, vous la connaissez et sa fin plus ou moins heureuse n'entame en rien mon goût de la découverte. Pendant les années qui suivent, je parcours les Antilles, le Brésil, le Mexique. Assez pour trouver de moins en moins de plaisir à m'étendre au soleil sur une plage. Exception faite du Brésil et du Mexique qui ont plus à offrir que des plages. L'Europe m'attire avec la France et l'Italie en tête. Ces deux pays, je les arpente en tous sens, sans jamais m'en lasser. Vie culturelle, lieux historiques, paysages variés et grandioses, arts de la table, tout concourt à en faire des pays de rêve pour épicuriens.

Le goût de pousser plus loin l'aventure m'emmène en Orient. Six semaines de dépaysement total amorcé en Chine communiste. L'escalade de la Grande Muraille tout autant que la visite de la Cité Interdite à Beijing valent à elles seules le long détour. Mais le plus fascinant de tout c'est, sans contredit, le peuple chinois et sa façon de vivre. C'est sûrement le seul pays du monde où il est donné de voir des embouteillages de bicyclettes au coin des rues, des gens qui pratiquent tranquillement leur *taï-chi* dans les parcs, comme s'ils étaient seuls au monde, alors que des centaines de personnes grouillent autour d'eux. Des restaurants à trois ou quatre étages bondés de monde, mais où les portes des toilettes sont inexistantes ou appuyées contre le mur après avoir été arrachées par quelque tornade surprenante dans un tel lieu d'intimité. Mais, surtout, le sourire des Chinois.

J'aurais dû faire ce bout de voyage en dernier, il me brouille la vue pour le reste. Hong Kong et Singapour, malgré leurs richesses, me paraissent ternes. D'immenses centres commerciaux à ciel ouvert. Heureusement qu'en Thaïlande, il y a les marchés flottants, la féerie qui les anime et les parfums qui s'en dégagent font oublier les bruits et les poussières de Bangkok. Brave peuple que celui-là qui réussit malgré tout à rendre la vie belle aux touristes !

Le point final de ce rapide tour d'horizon de l'Asie : le Japon. Difficile d'en dire du mal, tout y est si parfait. Mais je n'ai vraiment pas envie d'y retourner. La barrière de la langue ne facilite pas les contacts et l'accueil est poli, mais froid.

Le seul point commun à tous ces pays d'Asie au mois de juin : la pluie. Il pleut partout et presque tout le temps ; avis à ceux qui projettent d'y voyager en cette période de l'année. La grande différence entre les uns et les autres : la nourriture. Un palais développé et une certaine souplesse aux textures et aux allures étranges sont des atouts majeurs pour apprécier ces moments importants d'un voyage que constituent les repas.

Décembre 1987. Je magasine, tradition oblige, en préparation d'un voyage au berceau de la civilisation. Je suis en train de sortir ma carte de crédit pour payer quand la vendeuse me dit, en emballant l'ensemble blouse et *short* que j'ai choisi :

— Vous allez dans le Sud !

— Si vous voulez... je vais en Égypte !

Je n'ai pas sitôt répondu qu'une dame, tout près, réplique dare-dare :

— J'espère que vous n'emportez pas rien que du linge comme ça ! Mon mari et moi y étions l'an dernier à la même époque et nous avons gelé comme des rats !

J'ai le don de choisir les bonnes périodes pour voyager. La pluie en Asie, le froid en Afrique. Quelle chance de l'avoir rencontrée celle-là, elle nous permet d'assister au spectacle son et lumières des pyramides de Gizeh sans attraper la crève !

L'Égypte, c'est une partie de l'histoire du monde immortalisée dans les sables du désert sous un ciel bleu éternel. Rien ne peut décrire un lever de soleil sur le Nil sinon le mot perfection. Pour ce qui est du Caire, la capitale, il faut la voir pour le croire. Un musée qui renferme des richesses inouïes dont la moitié est invisible parce qu'entassée sans ordre dans des salles fermées. Des rues bloquées presque nuit et jour par la circulation. Des toits qui servent de dépotoirs puisque les gens y entassent tout ce dont ils ne se servent plus, vieux lits, matelas défoncés, chaises bancales et autres déchets du genre. À croire qu'en les mettant ainsi hors de portée de vue des piétons, ils n'ont plus à s'en préoccuper. Ou, peut-être, font-ils des réserves en cas de coups durs au moment de leur passage dans l'au-delà ? Ils pourront les attraper en passant et s'en servir là-haut...

Dans les années soixante-dix, tout le monde évolué rêve d'aller aux Indes et au Népal, pays synonymes de liberté, d'élévation spirituelle et de vapeurs de cannabis. Notre ami Serge (à Jean Leclerc et à moi) y passe quelques années. Il met vingt ans avant de nous donner de ses nouvelles. À ses yeux, nous symbolisons les horreurs du capitalisme et n'avons droit à aucun pardon. Il en est revenu depuis ! Son aveuglement de l'époque lui a peut-être masqué ce que j'y vois à la fin des années quatre-vingt. Un pays surpeuplé, aux pratiques religieuses désuètes et aberrantes vues de l'extérieur. Une résignation face à la vie et à l'immobilisme du système des castes qui les cantonne à jamais dans des rôles prédéterminés avec peu d'espoir de s'en sortir. Un pays magnifique en train de se dégrader peu à peu sous l'amoncellement des déchets.

Un saut de puce en avion et on est au Népal. Quelques restants de *hippies* attardés des années soixante-dix, plein d'agences de voyages qui emmènent les gens faire du *trekking* dans l'Himalaya. Nous ne ferons qu'une descente en voiture de l'un des petits sommets entourant Katmandou, la capitale. But ultime : voir le mont Everest. Pas de chance, sa cime est masquée par les nuages. Il en a été de même avec le mont Fuji, au Japon, et il en sera de même avec le Kilimandjaro, en Afrique. Faut croire que les hauts sommets ne sont pas faits pour moi !

Le Kenya, en Afrique, marque la dernière tranche de mes voyages exploratoires. Pas de monuments historiques ni de musées à visiter. Un simple retour à la vie sur Terre dans sa plus simple expression. La plus primitive aussi. La vie des bêtes dans leur habitat naturel avec les lois immuables qui régissent leurs communautés respectives. À côté de cela, des regroupements où vivent des hommes et des femmes qui n'ont qu'un objectif : survivre dans des conditions précaires en composant avec une nature *a priori* hostile. J'y vois des Masaïs colorés et paisibles, des Kikuyus emplumés et guerriers. J'y vois surtout la vie sauvage à l'état pur. Pour la première fois, je m'essaie à la photographie. J'aurais dû m'abstenir tant le résultat est dérisoire par rapport à la réalité. Ces photos me servent tout au plus d'aide-mémoire, alors faites travailler votre imagination...

Mon premier grand voyage à Québec et à Sainte-Anne-de-Beaupré en compagnie de ma mère et de mon frère. Adossés à un canon, nous découvrons les plaines d'Abraham.

À Assise, même les morts ont une belle vue sur les collines.

« Petit Saint-Vincent », en décembre 1985.
Un paradis loin de tout, et très, très cher...

Mai 1986. Assise, ville méconnue d'Italie,
mais où l'on n'a pas de mérite à devenir un saint
comme saint François.

Saint-Jean-de Luz, en juin 1988.
Je poursuis mon périple en France et je viens tout juste d'apprendre
que j'ai gagné *in absentia* le trophée Artis de la meilleure animatrice.

Mai 1985. Un sourire chinois comme ça vaut mille mots !

Plus jolies que ces trois fillettes chinoises, tu meurs ! (Ville de Hangchou)

Je découvre le palais de la Cité Interdite de Beijing (Pékin).

La Grande Muraille de Chine (en haut) me domine de sa majestueuse hauteur.

Devant le grand théâtre de Canton (au centre) : quand on voyage, il ne faut pas craindre de se mouiller. C'était la saison des pluies en Asie. Dix-huit jours de voyage, dix-sept jours de pluie !

J'aimerais durer aussi longtemps que ce vénérable bonzaï de 450 ans, dans la ville de Hangchou (en bas).

Je n'ai qu'une photo de cette ville impressionnante qu'est Hong Kong. Avec Guy, en juin 1985.

À gauche, j'arpente les jardins du Palais Royal de Bangkok, en mai 1985.

Guy et moi, en croisière dans le port de Singapour, en juin 1985.

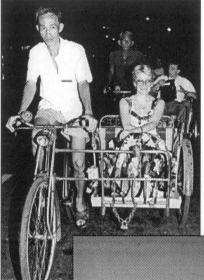

Promenade en pousse-pousse à Singapour.

En décembre 1987. Soleil de plomb et grand vent sur les pyramides de Gizeh, en Égypte. Khéops est la plus grande, mais Khéphren et Mykérinos ne sont pas mal non plus !

Il faut que le chameau s'agenouille pour qu'on puisse monter sur son dos !

Le Temple d'Abou Simbel, miracle de reconstruction.
Élevés sous Ramsès II, à la hauteur de la seconde cataracte, les deux temples ont été démontés à la suite de la construction du barrage d'Assouan et réédifiés au-dessus du niveau du Nil. Beauté suprême.

Attroupement autour de moi, devant le temple d'Hatshepsout, un des plus beaux de la vallée des Reines.

Moment de réflexion dans un lieu où sont inhumés tant de morts célèbres.

Promenade sur le Nil en compagnie de Marie-Josèphe et Édouard Balladur, ancien premier ministre français.

Dans la chambre froide et dépouillée du roi Akbar à Fatehpur Sikri en Inde.

Agra en Inde en mai 1987. Souvenir d'une promenade à dos d'éléphant. Le comble du ridicule !

Bombay, Inde. Quartier des laveurs de linge, propre et blanc malgré la proximité de la ville et de la poussière.

Pas de chance, je n'ai jamais vu le sommet de l'Annapurna
dans l'Himalaya, il a toujours été caché dans les nuages.

Le Taj Mahal, à Agra, en Inde. Monument funéraire élevé
entre 1630 et 1652 au bord de la Yamunâ, par Shâ Jahan,
pour son épouse favorite. Elle a dû être bien aimée, car il est superbe !

Népal, mai 1987. Une petite fille portant sa sœur.
Déjà un maquillage et une allure de femme... et pourtant si jeune !

Salle à manger du « Treetops », le camp d'observation et de chasse des
gens riches et célèbres. La reine Elisabeth II y séjournait en 1952
quand elle a appris son accession au trône d'Angleterre. Ça ressemble
à ce qu'on pourrait imaginer d'un camp de bûcherons chic !

Les membres d'une tribu Kikuyu exécutent une danse guerrière.
Pour la première fois, je m'essaie à la photographie !

Envol de pélicans, presque un 747 qui décolle tellement le bruit est fort.

On devrait voir ici un hippopotame. Il y en avait tout autour de notre barque mais... ils détestent se faire photographier !

La grande séparation du désert. Au détour d'une route au sommet d'une montagne, le désert se découpe carrément du pays verdoyant.

Visite de courtoisie dans un camp masaï, au Kenya.

Choix d'une parure masaï.

Habits colorés, mais crâne dégarni. Nous arrêtons dans un village masaï. Les plus grands hommes du monde.

À la barre du jour, la lionne chasse, mais le mâle n'est jamais loin.

La lionne attend son tour pour manger après papa et les petits.

Fin du repas entre femmes.
Rien ne peut déranger le calme d'une petite famille qui vit sa vie !

Papa s'amuse avec bébé lion...

...pendant que maman se repose !

Guy au pied d'un arbre plusieurs fois centenaire
dans une cité historique près de Mombassa.

Fin de mon expérience de photographe.
L'océan Indien, la plage de Mombassa.

Chapitre 12

LE CHOC DE L'ÂGE

Samedi, 12 janvier 1991. Les vacances de Noël sont terminées. Depuis mon retour de Paris, au début de la semaine, le tourbillon est reparti et je n'ai pas une minute pour répondre à l'invitation à dîner que mon frère laisse à ma boîte vocale. Je le ferai pendant le *week-end*.

La neige tombée en abondance la veille et le soleil éclatant rendent le parcours entre Saint-Paul et Saint-Césaire des plus agréables, même si le rendez-vous matinal que mon notaire me fixe m'empêche de faire la grasse matinée. Hormis d'autres problèmes juridiques à régler, il me faut refaire mon testament. Comme ce n'est pas la partie la plus agréable de notre rencontre, on se la réserve pour la fin.

Dans le cours de l'entretien, concernant mes dernières volontés, Maître Jean-François Denicourt me dit textuellement cette phrase :

— Qu'est-ce que tu fais si ton frère meurt avant toi ?

Du tac au tac, je réponds :

— Ça s'peut pas, il est plus jeune que moi !

En riant, il ajoute :

— Tu sais, ça ne se passe pas toujours dans un ordre aussi logique, la vie...

N'ayant pas de réponse immédiate à lui fournir, je décide de réfléchir et on s'entend pour que je le rappelle le mercredi suivant, soit le 15 janvier 1991. Au bas de page de mon agenda en date du 15, j'écris : « Tél. : Jean-François Denicourt pour : si Michel meurt avant moi ».

Ma vie est inscrite dans mon agenda. Mes pensées, mes idées tout autant que les courses à faire et les rendez-vous s'y trouvent. Je le traîne continuellement avec moi. Je n'accepte même jamais de le mettre dans une valise qui va en soute lorsque je voyage en avion. Sans lui, je suis démunie.

Toujours le 15 janvier 1991, mais un peu plus haut : « 8 h 45 : Enterrement de Michel ».

À quelques minutes près du moment où on me pose la question, mon frère sort de la maison après avoir siroté un café et fumé une cigarette. Il veut terminer le déneigement de son entrée, entrepris plus tôt. Il n'a même pas le temps de reprendre sa pelle, foudroyé par un infarctus. On le retrouve allongé par terre une demi-heure plus tard. Trop tard pour le réanimer.

On m'apprend la nouvelle dès mon retour à la maison. Ai-je rêvé les paroles du notaire ? Il me faut consulter mon agenda pour me prouver le contraire. Je conserve mes agendas depuis 1982. Pourquoi pas ceux d'avant, je ne sais pas. En les mettant en ordre, au moment de rédiger ces lignes, je constate qu'il me manque ceux de 1985 et 1992. Que s'est-il passé ces deux années pour que j'égare ou détruise ainsi la preuve que je les ai bel et bien vécues ? Ai-je vraiment envie de le savoir ?

Depuis longtemps, je réserve la première page blanche de mon agenda pour y inscrire des pensées glanées ici et là. Tirée de celui de 1991 : « La perte d'une mère est le premier chagrin que l'on pleure sans elle ».

L'amour inconditionnel que ma mère voue à mon frère, homme de sa vie après la mort de mon père, ne lui facilite pas le passage à l'âge adulte. Plus fragile émotivement que moi, il demeure longtemps dépendant d'elle. Heureusement, sa femme, Danielle, sait avec tact et intelligence prendre sa place dans la famille et transcender les côtés possessifs de ma mère vis-à-vis de son fils. Il nous faut la mort prématurée de Michel pour connaître sa fragilité physique et nous unir vraiment, elle et moi.

De ma mère et de ses sœurs, j'hérite une santé à toute épreuve. Ma réserve d'énergie semble inépuisable. Je n'en abuse pas, mais j'y puise sans imaginer un instant qu'elle puisse se tarir. La mort de Michel met un frein à ma lancée. Les mois qui suivent m'apportent tous les ennuis de santé imaginables. Des engourdissements aux maux de tête, en passant par les aigreurs d'estomac, les montées de bile et maux de dos. Mon corps ne m'épargne rien. Mais est-ce bien lui qui parle ? Question d'aller au fond des choses, mon médecin de famille et ami Michel Saine me scrute à la loupe. Pas un seul petit recoin n'est épargné, ni par lui ni par ses confrères spécialistes à qui il me réfère. Je n'ai tout simplement rien. Mais la grosse boule de chagrin qui se cherche une sortie ne se résorbe qu'au début de l'été suivant, pendant une séance d'acupuncture.

Je n'ai pas peur de vieillir, mais je vous avoue que je hais cela profondément. La mort de mon frère me rend consciente brutalement que le temps file très vite quand on ne prend pas la peine de le regarder passer, et c'est mon cas !

Encore heureux que, quelque deux ans avant son départ, mon frère et moi ayons pris le parti de régler le contentieux que nous traînions depuis notre enfance. Quelle famille n'en a pas ? Mais nous n'avons pas eu assez de temps pour profiter de cette paix mutuelle et je le regrette.

La vie fait quand même bien les choses. En pleine séance de *lifting* acupunctural, allongée sur la table avec les cinquante petites aiguilles d'or bien implantées dans la figure, je sens comme un bouchon de champagne qui saute sur le côté droit de ma poitrine et le sang qui se remet à circuler à toute vapeur dans mon corps.

Je n'ai pas la certitude que les séances d'acupuncture retardent à ce point le double menton et les poches sous les yeux, mais moi j'y crois et ça me suffit. Une chose est sûre, cependant, c'est à partir de ce jour-là que mon corps a cessé de me faire souffrir ! Sûrement que mon âme s'est enfin apaisée.

Quand on se laisse porter par la vie comme je le fais et qu'on laisse au hasard le soin de nous guider, on perd de vue la personne qu'on devient. De la plus jeune d'un plateau, on passe au stade de l'aînée par un saut de puce. Le jour où la puce atterrit, c'est là qu'elle décide de se faire « ravaler » la façade.

En mai 1989, quand Michel Chamberland, alors directeur des programmes à Télé Métropole, m'offre le rôle de « Louise » dans *Chambres en ville,* je jubile. Et pour deux raisons : la première est que, quelques mois auparavant, il m'a offert d'animer une émission témoignage quotidienne à TVA. Après réflexion, je repousse sa proposition. Sûre des raisons qui motivent mon choix, je crains quand même les représailles. On dit tellement de choses sur l'esprit de vengeance et la méchanceté des gens du milieu artistique. La seconde est que *Peau de banane* est terminée déjà depuis deux ans et rien ne se pointe à l'horizon. Question rituelle : suis-je finie ? Coup de paranoïa normal chez tout acteur bien constitué.

Eh bien non, l'univers entier ne m'en veut pas, et Michel Chamberland non plus. L'importance du cadeau qu'il me fait alors, je ne la mesure maintenant qu'à la lumière du succès de *Chambres en ville* qui amorce sa septième année.

Premier plateau de *Chambres en ville,* je fais face à une dure réalité : tout le monde m'appelle « madame » Deschâtelets, du premier au dernier des acteurs. Je me tâte, je cherche de qui on parle, je n'en crois pas mes oreilles. Ce n'est que le début de ma prise de conscience. Ils ne me donnent aucun répit. Rien ne m'est épargné pour me mettre en face de ma dure réalité de « vieille ». Merci, Guy Fournier, d'avoir distillé l'humour dans notre vie et de m'en avoir fait faire l'apprentissage.

Cette bande d'acteurs aussi beaux et talentueux les uns que les autres est à l'image de la jeunesse de cette fin de siècle et Sylvie Payette sait en saisir toutes les subtilités et les transposer à l'écran. L'énormité de leur présence dans la vie, elle a l'art d'en imprégner ses textes. *Chambres en ville,* c'est le reflet d'une société en mutation, c'est le chambardement social qui nous propulse vers l'an 2000. *Chambres en ville,* c'est le fruit de la symbiose de plusieurs « premières » qui semble porter bonheur à ses trois principaux artisans : Sylvie Payette dont c'est le premier téléroman, et qui n'arrive pas à y mettre un point final tant le public lui en redemande ; Charles Ohayon qui amalgame si bien tous les ingrédients de sa première production télévisuelle que la Société Radio-Canada vient nous le voler pour le nommer directeur des programmes ; et, enfin, Marlène Lemire, qui signe là sa première réalisation dramatique en solo et qui, malgré cela, fait preuve tout de suite d'une *maestria* professionnelle qui n'a d'égale que sa patience et sa disponibilité à l'égard d'un plateau aussi turbulent. J'espère qu'elle n'est pas candidate aux ulcères d'estomac !

Une toute petite ombre à ce tableau idyllique, un tout petit malaise, mais vite résorbé : au premier coup de fil de Michel Chamberland, quand j'apprends que le personnage qu'on m'offre se prénomme Louise, je fantasme et me convaincs presque qu'il est écrit pour moi. Chaque acteur rêve d'être l'inspiration, le seul, l'indispensable. Il n'en est rien et c'est bien ainsi, d'ailleurs. Sinon tout le monde aurait la grosse tête et comme certains en sont déjà pourvus, il serait triste que la maladie s'aggrave. Toujours est-il que, dans les jours qui suivent, sous la plume de l'incontournable madame Cousineau, journaliste artistique à *La Presse,* j'apprends que le rôle m'échoit après le refus de sa destinataire première. Petit pincement au cœur de courte durée : « Je vais leur prouver que Louise Leblanc, c'est pour moi ! » J'entreprends ma septième année de vie en sa compagnie et elle déteint de plus en plus sur moi.

Je n'ai pas d'enfant. Par choix, dans un premier temps, par impossibilité d'en avoir, ensuite. Je ne saurai jamais si cela me manque mais j'aime en avoir autour de moi et j'ai le sentiment que la fée de la procréation veut compenser en me donnant à l'écran les enfants que je n'ai pas. Marie-Soleil et Sébastien Tougas m'ont permis, pendant les cinq années que dure *Peau de banane* et souvent par la suite, d'entrer en catimini dans leur intimité. Je côtoie Marie-Soleil dans son passage de l'enfance à l'adolescence. Je regarde la superbe femme qu'elle est devenue et j'en tire, égoïstement, un brin de fierté. Je vois grandir Sébastien qui, mois après mois, prend la mesure de sa progression d'après la hauteur des interrupteurs du décor. Je le vois ingurgiter des tonnes de nourriture pour compenser l'énergie folle qu'il dépense à monter dans les échafaudages du plateau ou à jouer avec les techniciens.

Je reçois les confidences de certains acteurs de *Chambres en ville* qui pourraient être mes enfants. J'ai plaisir à les écouter, j'espère ne pas les « écœurer » avec mes conseils.

Le dernier en liste de mes enfants d'adoption : Vincent Bolduc. Il me colle à la peau depuis la télésérie *D'amour et d'amitié.* Guy Fournier me l'offre à nouveau sur un plateau d'argent dans l'émission *Ent'Cadieux,* plus séduisant que lui, tu meurs ! Amorcée sur un mode un tantinet caricatural en 1993, l'émission effectue un virage à 90 ° dès 1994, soutenue par Roger Legault et Marie-Lise Beaudoin, tandem stimulant et impliqué à la réalisation.

« Diane Cadieux » me ramène à Rosemont, quartier de mon enfance, où j'ai passé les vingt premières années de ma vie. Le quadrilatère compris entre les rues De Lorimier, Beaubien, Masson et Papineau, j'en connais tous les recoins. La chaleur humaine qui l'imprègne est sûrement l'héritage le plus précieux que j'en conserve. *Ent'Cadieux,* c'est familial, intimiste, même minimaliste. Le charme simple qui s'en dégage tout autant que la douleur, la rage de vivre et la volonté de s'en sortir, sont à l'image du milieu qu'il décrit. Vrai jusqu'à la moelle. Je peux en témoigner.

On ne peut renier ses origines même si, parfois, on les voudrait autres. Complexée, je le fus pour diverses raisons pendant plusieurs années. J'ai écrit déjà que c'est en soi que l'on puise la force d'évoluer. Mais encore faut-il avoir un bagage de ressources dans lequel on peut puiser. Je crois que la stabilité des vingt premières années de ma vie m'a donné une bonne « partance ». Aux parents qui s'inquiètent d'un enfant qui se dirige en art dramatique, je soutiens que ce n'est pas plus difficile là qu'ailleurs de faire sa vie. S'ils aiment leurs enfants pour ce qu'ils sont et savent les valoriser, ceux-ci sauront faire face aux écueils. À la condition, bien sûr, d'avoir su leur inculquer le goût de l'effort et du dépassement sans lequel aucune carrière n'est possible aujourd'hui. Aucune carrière dans aucun domaine. La compétition est forte, la place pour la paresse et la nonchalance de plus en plus réduite.

Noël 1990. Mon frère Michel et sa femme Danielle s'amusent
sur les genoux du Père Noël, Michel Saine.
Mon frère décède quelques semaines plus tard.

La mort de mon frère me rend consciente brutalement
que le temps file très vite quand on ne prend pas la peine
de le regarder passer, et c'est mon cas !

Mon frère et Pierrette Boucher, lors de mon *Bien cuit*. Encore heureux que, quelque deux ans avant son départ, mon frère et moi ayons pris le parti de régler le contentieux que nous traînions depuis notre enfance. Mais on n'a pas eu assez de temps pour profiter de cette paix mutuelle et je le regrette.

Une partie de l'équipe de *Chambres en ville*. Premier plateau de *Chambres en ville*. Je fais face à une dure réalité : tout le monde m'appelle « madame » Deschâtelets. Ce n'est que le début de ma prise de conscience.

Chambres en ville, c'est le reflet d'une société en mutation, c'est le chambardement social qui nous propulse vers l'an 2000. En répétition avec la réalisatrice Marlène Lemire.

Je reçois les confidences de certains acteurs de *Chambres en ville* qui pourraient être mes enfants. J'ai plaisir à les écouter, j'espère ne pas les « écœurer » avec mes conseils.

Le dernier en liste de mes enfants d'adoption : Vincent Bolduc.
Plus séduisant que lui, tu meurs !

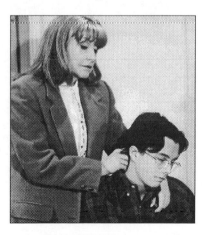

Ent'Cadieux, c'est familial, intimiste.
Le charme simple qui s'en dégage tout autant que la douleur, la rage de
vivre et la volonté de s'en sortir, sont à l'image du milieu qu'il décrit.
Vrai jusqu'à la moelle. Je peux en témoigner.

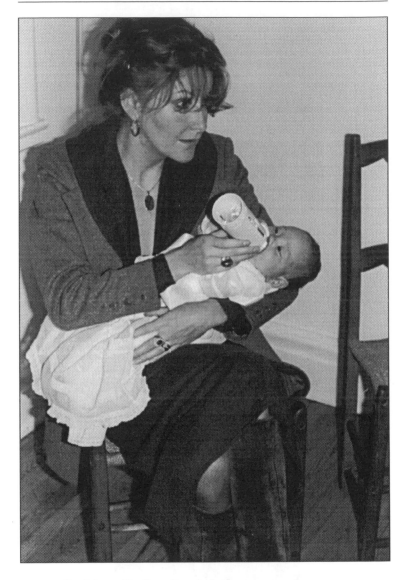

Je n'ai pas d'enfant. Par choix dans un premier temps,
par impossibilité d'en avoir, ensuite, mais je me rattrape
en donnant le biberon au bébé de mon amie Diane Chenail
le jour de son baptême.

Les enfants comptent beaucoup dans ma vie.
Ici ma belle-sœur Danielle et son fils Marc-André.

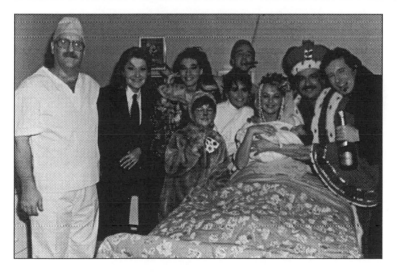

Le jeune Vincent Bolduc me colle à la peau depuis la télésérie
D'amour et d'amitié, qui a été en ondes de 1990 à 1992.

Chapitre 13

À PROPOS
D'UN CERTAIN 18 JUIN

Mes vingt premières années se passent sans heurt ni catastrophe. Un long fleuve tranquille qui me donne confiance en la vie. Pour une petite fille peureuse et rangée, sans grande audace apparente, je ne peux rêver de milieu plus sécurisant. Hormis la mort de mon père, rien ne trouble mon existence. Je baigne dans un milieu ouvrier sans ambition démesurée où seuls les petits bonheurs quotidiens viennent ponctuer une vie tout ce qu'il y a de plus ordinaire. J'aurais tellement voulu, à certains moments, que ma mère se fâche, rue dans les brancards, enfonce les portes, manifeste ses états d'âme. Je me révolte souvent contre ce que, dans mon éducation judéo-chrétienne, j'identifie comme son trop grand esprit de sacrifice. Mais cela n'ébranle jamais la force tranquille de cette petite femme de cinq pieds un pouce. Rien, sauf peut-être le cancer qui l'emporte en 1973. Une maladie à laquelle on attribue aujourd'hui une bonne part d'origine psychosomatique. Trop fatiguée pour poursuivre la route avec nous, elle décide de lâcher prise. Peut-être aussi préfère-t-elle mettre une certaine distance entre elle et moi pour mieux absorber les soubresauts du chemin que j'emprunte et m'aider à effectuer les virages difficiles. J'aime le croire !

Plus rien n'est linéaire dans ma vie par la suite. Pragmatique et organisée en apparence, l'instinct me sert la plupart du temps de guide dans mes choix. L'instinct allié à la perspective d'avoir du plaisir à faire ou à vivre quelque chose. Deux notions qui font rarement partie des critères de base pour juger de l'équilibre d'une personne. J'endosse le proverbe machiste qui dit : « C'est une logique féminine donc un illogisme potentiel ».

La maturité me permet d'avouer sans honte que mon cœur a pris autant de place que ma tête dans tout ce qui a présidé aux grandes et petites décisions de ma vie, tant d'un point de vue personnel que professionnel, car les deux ont toujours fonctionné de pair. À cheval entre la peur et le goût du risque, j'ai l'art de me mettre en état d'instabilité.

Malgré moi, l'insécurité est le moteur de mon existence. Et pourtant, Dieu sait que j'ai la conviction d'avoir le contrôle sur moi-même. Est-ce que c'est ça qu'on appelle avoir une double personnalité ?

L'uniformité réside dans l'énergie et la ferveur que je mets dans tout ce que je fais. Je donne le maximum dans les petites comme dans les grandes choses. Le goût du dépassement m'habite, ce qui me rend exigeante pour moi et pour les autres. Donc, pas simple à vivre.

Le succès n'est pas non plus toujours au rendez-vous. Certaines expériences tournent en queue de poisson. La critique m'éreinte parfois, mais je ne garde aucun goût amer des passages difficiles. Seuls des petits pincements au cœur m'effleurent encore parfois. Ai-je manqué de discernement dans mes choix ? Peut-être. Mais j'en retire au moins le mérite d'avoir essayé.

Qui suis-je d'ailleurs pour me plaindre ? Je n'ai qu'à tourner le regard vers le monde qui m'entoure pour constater à quel point la vie m'a choyée.

Je traverse justement un passage difficile à la fin de l'hiver 1993. La station de radio CKAC, avec laquelle je signe un contrat de trois ans au printemps 1992, perd petit à petit ses acquis depuis quelques années. La station se cherche elle-même et moi je cherche à y faire ma place. Mauvaise orientation, mauvais choix, mauvais *timing*, il est difficile de mettre le doigt sur le « bobo », mais je sais que je ne peux travailler longtemps dans l'atmosphère qui y règne.

On est en mars. Ce mois déplaisant entre tous qui nous titille certains jours en nous emmenant au bord du printemps pour mieux nous assener de belles grosses tempêtes de neige tardives les jours suivants. Ce mois que nous voulons tous avoir les moyens de passer dans le Sud pour nous permettre d'oublier qu'au Québec il y a, en principe, quatre saisons, bien que parfois l'une d'elles éclipse toutes les autres.

J'ai déjà dit avoir du mal à m'adapter à l'ère du modernisme électronique et informatique. Tout ce qui doit nous faciliter la vie me rebute de prime abord. À l'égal de la carte guichet automatique, l'utilisation du magnétoscope m'est impossible jusqu'à tout récemment. Et je ne sais pas si j'apprendrai un jour le maniement de l'ordinateur compte tenu que je ne sais même pas me servir correctement d'une machine à écrire. Je ne suis en confiance qu'avec la feuille quadrillée et le stylo à bille. Par un autre de ces détours du destin, c'est par l'intermédiaire d'un appareil qui révolutionne les moyens de communication en cette fin du XXe siècle que le cours de ma vie va changer.

Par un matin sombre et froid de ce mois de mars 1993, le télécopieur de CKAC me transmet une missive de monsieur François Boisvert, consul général de la République centrafricaine. Je ne connais pas ce monsieur, et à peine le pays qu'il a l'honneur de représenter. En consultant le dictionnaire, je constate qu'il s'agit bel et bien du pays du fameux Bokassa mené au pouvoir par un coup d'État et qui s'est sacré lui-même empereur avant d'être renversé en 1979. Sa réputation traverse nos frontières par le biais des diamants offerts à Valéry Giscard d'Estaing, alors président de la France. Cadeau empoisonné qui favorise la chute de celui-ci en 1981.

Au mot de monsieur Boisvert est joint la photocopie d'un bristol du consul général honoraire de la République centrafricaine. Ils se sont croisés par hasard dans l'antichambre du bureau présidentiel et l'accent québécois a fait le reste pour éveiller l'intérêt de quelqu'un l'ayant entendu il y a plus de vingt ans. Un bristol d'à peine quelque phrases pour me dire son envie d'avoir de mes nouvelles et signé Jean-Michel de Cazanove. Ma fidèle Danielle Doyon, qui m'épaule comme recherchiste à CKAC et qui fait le tri de tout ce qui m'est adressé, s'amène en studio avec ce bout de papier.

— Louise, est-ce que tu connais du monde en Afrique ? m'interroge-t-elle.

— Non ! dis-je d'un ton étonné.

— Eh bien, regarde ça !

Je reconnais la signature, mais je ne comprends pas comment cette missive a pu atterrir à CKAC. Je ne connais pas non plus ce monsieur Boisvert qui signe la télécopie.

Une bonne recherchiste déblaie toujours le terrain pour son animatrice et c'est ce que fait Danielle pour apprendre que la rencontre fortuite entre messieurs Boisvert et de Cazanove aurait pu se produire des années plus tôt, puisque le premier est attaché à ce pays comme consul depuis un bon moment. Une amitié nouée avec le président Kolingba, son confrère d'université à Québec, lui a valu cette nomination. Monsieur Boisvert va et vient entre le Québec et la République centrafricaine plusieurs fois par an. Il est porteur d'un message provenant de quelqu'un qu'il ne connaît pas. Il l'a transmis par le moyen le plus sûr d'atteindre sa destinataire qu'il ne connaît que de réputation. Courtoisement, il s'offre comme courrier puisqu'il compte retourner en République centrafricaine prochainement.

Rien d'excitant ou de précurseur de quoi que ce soit dans ce mot. Je n'en espère rien. Ça m'étonne, tout au plus. Peut-être son auteur a-t-il été pris d'une soudaine envie de renouer avec une connaissance jamais oubliée, ou encore de jeter l'ancre de l'amitié. Débouché logique pour un amour qui s'est étiolé mais où rien n'est venu détruire l'affection d'origine.

Monsieur Boisvert repart à la mi-mars, porteur d'une lettre descriptive de ma vie présente afin d'atténuer le choc si jamais on se revoit. Vingt ans d'écart depuis notre dernière rencontre en 1973, ça marque sur tous les plans.

Un matin de fin mai, vers six heures, alors que je suis assise derrière mon bureau en train de réviser mes notes pour les interviews du matin, le téléphone sonne. La voix de baryton, l'accent du sud de la France à couper au couteau, je les reconnais du premier coup. Mon oreille exercée par quatre ans de *Questions de vie* se trompe rarement sur l'état d'âme de son interlocuteur, encore moins sur un ton de voix qui a laissé son empreinte. On vient de se rater à Paris. Il y était en même temps que moi, mais le courrier transporté par monsieur Boisvert ne lui est parvenu qu'à son retour. On se fixe rendez-vous, toujours à Paris, pour la mi-juillet. Je l'invite à nous rencontrer, Guy et moi. Nous ferons d'une pierre deux coups : il me reverra et fera la connaissance de mon compagnon de vie par la même occasion.

Rien n'est jamais simple et les choses se passent rarement comme on les a planifiées. Pour une organisatrice née, c'est souvent frustrant. Une grosse crise

de malaria cloue mon ami français sur un lit d'hôpital depuis une semaine. La crise le terrasse pendant
un séjour chez sa sœur, en Bretagne. Impossible de
rentrer à Paris avant deux semaines : ordre du médecin traitant. La seule solution : nous rendre à Lorient
pour ne pas rater le rendez-vous encore une fois. Un
aller et retour en voiture et une nuit au château de
Locguénolé n'est en rien désagréable à qui aime la
France et autant Guy que moi en sommes fous.

Mais on est à la fin juillet, c'est le début des grandes vacances, pas une seule voiture de location n'est
disponible dans tout Paris. Je décide donc de faire le
voyage en avion, seule, puisqu'en fin d'après-midi je
serai de retour dans la capitale.

Je débarque à Lorient, en Bretagne, ce 31 juillet
1993. Je marche sur le tarmac de l'aéroport vers mon
destin, sans le savoir. Une seule pensée m'obsède tout
à coup, comment allons nous nous reconnaître ? Nous
n'avons pas prévu, comme dans les films, de signe visible pour nous permettre de nous identifier mutuellement.

Difficile de raconter des retrouvailles qui s'effec-
tuent aussi simplement que si nous nous étions vus la
veille. Un fluide en attente se remet à circuler entre
nous, comme si le temps n'avait fait que le laisser en
suspension dans l'espace. C'est à peine si nous remar-
quons le passage des ans sur l'un et l'autre. Et pourtant, il est bien là. Il me flatte en me disant qu'il
attendait une femme sur le retour et qu'il retrouve la
même jeune fille qu'il y a vingt ans. Il tique cependant sur les cheveux : il m'a connue blonde aux che-

veux longs et me retrouve brune aux cheveux courts. J'ai un bon coiffeur !

Les jours et les mois qui suivent seront parmi les plus difficiles de ma vie. Je mettrai sûrement des années à les décanter. Les mouvements du cœur sont si difficiles à comprendre et à décoder. D'autant plus quand ce sont les nôtres et qu'on ne les avait pas prévus ni vus venir.

Le 18 juin 1994, j'épouse Jean-Michel de Cazanove à la mairie du IVe arrondissement, à Paris, en présence de ses enfants et de quelques parents et amis. Un mariage tendre, simple et discret comme nous le souhaitons tous deux. Une journée bénie des dieux où le soleil caresse tendrement les feuilles des arbres et les fleurs du jardin dans lequel la réception a lieu. Pour se rendre dans ce lieu idyllique, il faut traverser un petit cours d'eau en plein cœur du Bois de Boulogne. Doit-on voir là un signe précurseur du nombre de fois que nous aurons à traverser l'océan, dans les années à venir, pour être ensemble, lui et moi ?

Chapitre 14

SUITE ET FIN

Mon mariage tenu secret presque jusqu'à la dernière minute a fait couler beaucoup d'encre. Bien plus que je n'aurais pu l'imaginer ! Contrairement à ce qui a été écrit, mon but n'était pas de cacher l'élu de mon cœur ni de snober les journalistes avec qui j'ai toujours essayé d'entretenir des relations de bonne collaboration. Mais j'avais envie de solitude pour poser ce geste lourd de conséquences dans ma vie et la plus extrême discrétion me semblait de mise en la circonstance. Les quelques rares personnes au courant ont respecté ma volonté et je leur en sais gré.

Pour employer un lieu commun, je m'apprête à tourner une page importante du livre ouvert de ma vie pour en commencer une autre, qui débute par un engagement auquel je me suis toujours refusée : le mariage.

La solitude m'est nécessaire et je ne regrette pas de m'y être astreinte avant d'entamer cette autre étape.

Je n'ai nulle envie de mettre un terme à ma vie professionnelle mais je cherche à trouver un plus juste équilibre. La comédienne et la femme veulent marcher côte à côte et non l'une à la remorque de l'autre, comme les circonstances m'y ont toujours incitée. Sans que j'y fasse jamais objection, bien sûr !

Je me suis mariée avec la ferme intention de partager totalement la vie de celui qui m'a choisie et que j'ai choisi par amour. Notre avenir devra donc se partager entre son pays, la France, et le mien.

Jusqu'à maintenant, c'est assez sportif comme quotidien ! Et, pour couronner le tout, mon mari est parti depuis deux mois en mission en Haïti. Un agenda pour savoir qui fait quoi, à quel moment et où sur le globe s'avère presque nécessaire.

Comme voyage de noces, nous avons choisi de poser notre sac et de profiter de ce temps d'arrêt dans nos vies professionnelles pour installer et rénover une maison dans le sud-ouest de la France, la région préférée de mon mari. Une région verte, encore méconnue des touristes, qui bénéficie d'un microclimat si doux qu'il fait fleurir les camélias en janvier et les rhododendrons en mars. Une région où le jour d'ouverture de la chasse à la palombe vide les rues du village. Même le plombier qui doit finir d'installer notre salle de bains ne se présente pas. On prend le temps de vivre, ici. Même un rendez-vous fixe est variable dans le temps.

Je dois refréner mes impatiences de Nord-Américaine, habituée qu'on réponde à mes demandes de service sur-le-champ. Je suis dans la France qu'on dit profonde, ce terroir que Mauriac décrit si bien dans ses romans. Des gens difficiles à percer. On me regarde comme une bête curieuse pendant un certain temps. Dans le coin, tout le monde se connaît, alors je détonne. On me surnomme « l'Américaine » et on me traite avec les égards dus à l'image d'abondance que le mot Amérique sous-entend. Est-ce une bonne chose ? Je n'en suis pas sûre. Les vrais contacts, c'est avec l'épicière et le boucher qu'il est le plus facile de les établir. Aimer la nourriture et savoir en parler c'est, après la chasse, la meilleure façon de se faire accepter. Je m'y emploie.

Je vivais à deux cents à l'heure et mon rythme a ralenti de moitié. J'ai encore des fourmis dans les jambes certains jours, mais je prends goût à la langueur de cette nouvelle vie. Je n'ai nulle envie d'arrêter de travailler, mais ralentir le rythme n'est pas pour me déplaire. Plusieurs ne me reconnaîtront pas dans ces propos !

Apprivoiser une vie à deux où chacun possède un passé déterminant demande du doigté. Un océan sépare nos deux cultures et je ne peux pas en faire abstraction. Nos réactions opposées sur bien des points me le rappellent jour après jour. Même si le bonheur est au rendez-vous quotidien.

J'exerce un métier public qui oblige mon mari à une exposition qui n'est pas sans lui déplaire parfois. Depuis la Révolution française, les gens de son rang ont plutôt tendance à se faire discrets malgré la fierté qu'ils ont de leurs ancêtres et du passé qui les a façonnés.

J'ai épousé un homme dont le parcours de vie peut, à lui seul, alimenter les rêves les plus fous. Juriste de formation, il a touché au commerce, à l'entreprise domiciliaire et à la politique. Mais sa passion demeure l'équitation et les chevaux auxquels il a consacré une grande partie de sa vie. Son grand-père paternel l'a initié à l'art équestre dès son plus jeune âge. Sa grand-mère maternelle, la duchesse d'Abrantès, qui élevait des taureaux, l'a initié à la *corrida* portugaise où il a triomphé pendant toute son adolescence et le début de sa vie d'adulte. Le tout couronné par de multiples succès en concours complet et en courses d'obstacles.

La guerre d'Algérie ayant eu lieu pendant son service militaire, il choisit de servir dans une unité combattante, le dernier régiment de Spahis. Son dévouement aux œuvres humanitaires de l'Ordre de Malte l'a mené aux quatre coins du monde souvent au risque de sa vie. J'espère qu'un jour, il aura envie de se raconter. Il est beau, il est grand en profondeur comme en surface, et je l'aime. Le reste, c'est mon secret...

Île-des-Sœurs, mai 1995

*À tous ceux et celles qui sont demeurés à mes côtés mal-
gré les soubresauts que ma vie leur impose : merci. Pas
besoin de les nommer, ils vont se reconnaître.*

Louise D.

La veille de mon mariage, mon dernier repas en célibataire.

Dernier regard sur le passé. Jean-Michel et moi gravissons les escaliers
de la mairie du IVᵉ arrondissement de Paris, le 18 juin 1994.

Signature des registres,
à la mairie de Paris.

Ma fidèle complice, Sylvie Côté, s'est
chargée de tout, comme toujours.

Jean Leclerc, mon témoin.
Nous sommes unis par l'amitié
pour la vie.

Mon mari et moi, tout juste après la
cérémonie du mariage. Une petite
pause au Bois-de-Boulogne, à Paris.

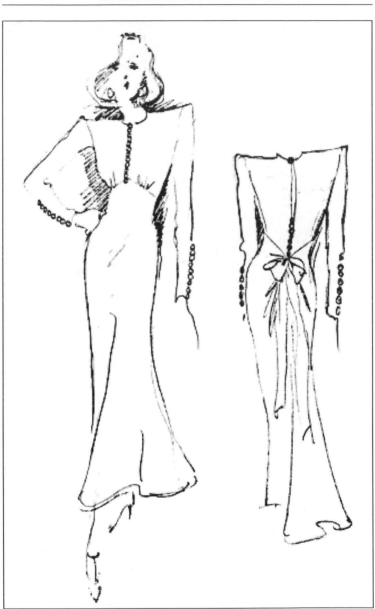

Dessin de robe de mariée conçue par Serge et Réal.

Notre avenir se partage entre son pays, la France, et le mien.
Nous assistons au Gala des Grands Ballets Canadiens,
en 1995, à Montréal.

Notre maison du Sud-Ouest, en été.
Une région verte, encore méconnue des touristes,
qui bénéficie d'un microclimat très doux.

En guise de voyage de noces, nous avons déposé notre sac
et profité de ce temps d'arrêt dans nos vies professionnelles
pour installer et rénover une maison dans le sud-ouest de la France.

Sous les yeux du bon roi Henri IV : le comte Tafanel de la Jonquière, moi, Béatrice de Bigault de Cazanove Courtois, le comte Jacques de Bigault de Cazanove, dans la salle à manger du château de Salles.

Le petit salon du château de Salles.
Mon mari, sa cousine Béatrice et moi.

L'oncle de mon mari, le comte Jacques de Bigault de Cazanove,
mon mari et moi, dans la salle à manger.

Au premier plan, l'entrée du château de Salles et,
en arrière-plan, le village de Sallespisse.

Découverte du château de Salles par les jardins.

Vue panoramique des environs, à partir des terrasses du Château.

Mon mari, Jean-Michel, et son oncle, le comte Jacques,
posent sur la terrasse dominant la vallée.

Il est beau, il est grand en profondeur comme en surface...

...et je l'aime.

Table des matières

LOUISE DESCHÂTELETS

Actrice et animatrice

LOUISE DESCHÂTELETS est née à Montréal où elle a fait ses études primaires et secondaires. Elle a complété ses études universitaires au collège Marie-Anne.

Elle a suivi des cours de phonétique, de stylistique et d'art oratoire au Studio Liette Duhamel, des cours d'interprétation dramatique avec madame Sita Riddez et monsieur Henri Norbert, des cours de mime avec Claude Saint-Denis, des cours d'improvisation avec Marcel Sabourin et des cours de jazz au Studio Seda Zaré.

Après son baccalauréat ès arts, elle a obtenu un diplôme d'enseignement de phonétique et d'art oratoire de l'Institut de Diction française et de la Société du bon parler français. Avant de devenir comédienne professionnelle, elle a enseigné durant trois ans la phonétique, l'art oratoire et la stylistique.

En tant qu'animatrice à la radio, elle a tenu quotidiennement le micro à CKAC (1992-1993) et à CJMS *(Questions de vie,* 1985-1991), et présenté une centaine d'émissions proposées par le Conseil des arts du Canada, intitulées *Le Livre d'ici* (1977-1978).

À la télévision, elle a animé une émission de variétés quotidienne, *Mon amour, mon amour,* à Radio-Canada (1993-1994) ; réalisé des interviews pour *Journal intime* (1992), présenté deux galas du Tourisme au réseau TVA (1991-1992) ; et participé, toujours en tant qu'animatrice, à une émission questionnaire à Radio-Québec, *Cinq pour un* (1990-1991). On se souvient aussi de *La Guerre des sexes* (1989-1990), et de l'émission magazine hebdomadaire *Les Carnets de Louise* (1986-1990), à TQS.

Elle a connu une carrière théâtrale des plus soutenues. Voici les titres de pièces dans lesquelles elle a joué : *Lettres d'amour* (1991), *Les Baleines* (1986), *La Grande Opération* (1984-1985), *Bienvenue aux Dames* (1985), *Je t'aime, clé en main* (1985), *L'Amour ou la Vie* (1984), *Du poil aux pattes comme les CWACS* (1982-1983), *Les Fiancés de l'armoire à linge* (1981), *Tout dans le jardin* (1981), *Apprends-moi, Céline* (1980), *À qui le p'tit cœur après 9 h 1/2* (1980), *Du sang bleu dans les veines* (1980), *L'Or et la Paille* (1979), *Ti-Mine Goulet* (1978), *Sur le matelas* (1977), *Un lion en hiver* (1976), *Julien Julien* (1975), *Quatre à Quatre* (1975), *Oh ! mes aïeux* (1975), *La Jambe en l'air* (1974), *Lorsque l'enfant paraît* (1973), *Le Tournant* (1973), *Madame Idora* (1972), *Demain matin, Montréal m'attend* (1970), *Ce soir on improvise* (1969-1970), *La Baye* (1969), *Bilan* (1968).

À la télévision, elle a joué dans de nombreux téléromans : au réseau TVA, *Ent'Cadieux* (depuis 1993), *Chambres en ville* (depuis 1989), *D'amour et d'amitié* (1990-1992), *Peau de banane* (1982-1987), *Marisol* (1980-1982), *Y faut le faire* (1978-1980) ; à Radio-Canada, *Les As* et *Jamais deux sans toi* (1978-1980), *La Rue des Pignons* (1971-1977) ; au réseau TVA, *Symphorien* (1974-1976) ; à Radio-Canada, *La Souris verte* (1968-1970).

Au cinéma, on note : *Cut ! Cut !* de Luc Lussier (1995), sortie bientôt, et le rôle titre dans *Mère Marie de l'Incarnation,* de Pierre Valcour, présenté à Radio-Canada en 1977.

Louise Deschâtelets a également tourné de nombreux messages publicitaires (1968-1985), en plus d'avoir été porte-parole des magasins M (1987-1990) et de Santé Naturelle (1987-1992).

MARQUIS

ACHEVÉ D'IMPRIMER EN SEPTEMBRE 1995
SUR LES PRESSES DE
L'IMPRIMERIE D'ÉDITION MARQUIS
MONTMAGNY (QUÉBEC)